Chères lectrices,

Plus encore qu'un souvenir ou le récit d'une histoire vécue, c'est la magie d'un lieu parfois qui est la source d'inspiration d'un auteur. En écrivant « La lumière de l'espoir » (Amours d'Aujourd'hui N° 821), Janice Macdonald a voulu nous communiquer son amour pour l'Irlande. Et je peux vous assurer qu'elle y a parfaitement réussi ! Plongez-vous, comme je l'ai fait, dans ce magnifique roman, vibrez et tremblez avec Kate et Niall, et découvrez, au fil des pages, les paysages envoûtants du Connemara. Ses falaises abruptes qui tombent à pic dans l'océan déchaîné ; ses pubs enfumés emplis de musique et de rires ; ses landes désertes battues par les vents… Bientôt, vous ne pourrez plus, vous non plus, les effacer de votre mémoire.

Ainsi, en nous faisant partager leurs goûts et leurs coups de cœur, les écrivains réussissent non seulement à nous séduire et à nous distraire, mais y trouvent également — et fort heureusement ! — leur compte. Et c'est cette complicité, cette sensation fugace d'entrer dans leur monde secret qui représente pour nous une part de plaisir en plus.

Bonne lecture à toutes !

La mémoire de l'amour

REBECCA WINTERS

La mémoire de l'amour

AMOURS D'AUJOURD'HUI

Cet ouvrage a été publié en langue anglaise
sous le titre :
SHE'S MY MOM

Traduction française de
JULIETTE MOREAUX

HARLEQUIN®

est une marque déposée du Groupe Harlequin
et Amours d'Aujourd'hui®
est une marque déposée d'Harlequin S.A.

Illustration de couverture
© GETTY IMAGES

Toute représentation ou reproduction, par quelque procédé que ce soit, constituerait une contrefaçon sanctionnée par les articles 425 et suivants du Code pénal.
© 2002, Rebecca Winters. © 2003, Traduction française : Harlequin S.A.
83-85, boulevard Vincent-Auriol, 75013 PARIS — Tél. : 01 42 16 63 63
Service Lectrices — Tél. : 01 45 82 47 47
ISBN 2-280-07825-2 — ISSN 1264-0409

1.

— Eh bien, Brett, que penses-tu de L'Etoile, maintenant qu'elle est terminée ? demanda M. Stevens avec une certaine fierté.

Le garçon se retint de hausser les épaules. M. Stevens était le père de Mike, son meilleur ami, et le patron de l'entreprise de bâtiment qui venait d'achever la construction du tout dernier hôtel-casino à la mode, ici, à Las Vegas.

L'immeuble avait la forme de l'Arc de Triomphe, d'où son nom : « L'Etoile ».

Ce soir, il avait invité Mike et Brett dans le magnifique restaurant qui couronnait l'édifice. Assis près des baies vitrées, les garçons pouvaient voir la moitié de la ville.

Du haut de ces vingt-cinq étages, on avait un peu l'impression d'être sur une Grande Roue géante, surplombant la fête foraine étincelante de Las Vegas. Brett n'éprouvait pourtant aucun émerveillement. Comme il vivait ici depuis toujours, les lumières et la folle ambiance de la ville n'avaient plus rien pour le surprendre. Et, de toute façon, depuis la mort de sa mère, six mois auparavant, plus rien ne lui semblait important.

— C'est superbe, monsieur Stevens. Merci beaucoup pour le dîner, ajouta-t-il poliment.

— De rien. Alors, les garçons, qu'est-ce que vous voulez faire, maintenant ?

— Tu peux nous déposer chez Brett ? demanda Mike. On va regarder une cassette, et ensuite, on montera la tente dans le jardin.

Stevens jeta un bref coup d'œil à Brett.

— Ton père n'est pas de service, ce soir ?

— Non.

— Je croyais qu'il ne pouvait pas dîner avec nous parce qu'il travaillait. J'ai dû me tromper.

— Papa n'a plus envie de sortir, marmonna le garçon.

— Je sais, oui. Il nous manque, à Ella et à moi. C'est triste, et ça doit être très dur pour toi.

Brett ne répondit pas. Depuis un certain temps, son père ne faisait rien d'autre que lire le journal ou somnoler devant le poste de télévision. En général, quand il regardait Brett, c'était comme s'il ne le voyait pas. Comme s'il n'existait plus.

— Vous pourriez dormir chez nous, tous les deux, proposa le père de Mike.

— Non, ça va, monsieur Stevens. Papa est content quand Mike vient chez nous. Simplement, une fois qu'il est rentré du boulot, il n'a pas envie de ressortir.

Stevens hocha la tête.

— Un jour, ça changera…

Il repoussa sa chaise en soupirant, et se leva.

— Je dois dire un mot au gérant de l'hôtel. Je n'en ai que pour quelques minutes. Je vous retrouve à la voiture ?

— D'accord.

Ils quittèrent le restaurant tous les trois.

— Dis donc, j'ai hâte d'avoir dix-huit ans pour pouvoir venir jouer ici. Je les éclaterai, moi, les machines à sous ! glissa Mike à l'oreille de Brett.

A une époque, Brett avait la même envie, mais, depuis que sa mère n'était plus là, il se fichait royalement de pouvoir entrer au casino. Cette disparition avait tout changé, à commencer par l'humeur de son père...

Il eut un frisson en revoyant le visage inexpressif de ce père qui ne voulait plus parler de rien.

On voyait dans ses yeux qu'il avait mal, mais Brett n'osait pas lui poser de questions.

Mike atteignit les ascenseurs avant lui. Il y en avait trois, tous bondés à cette heure où les festivités commençaient.

Son ami s'impatienta tout de suite.

— Allez, viens ! On n'a qu'à prendre l'escalier.

Brett ne demandait pas mieux ; il commençait à prendre en grippe les touristes qui se pressaient en permanence au casino et dans les salles de spectacle. Surtout les familles aux visages réjouis... Pourquoi avaient-ils le droit d'être heureux, alors que, pour lui, le mot n'avait plus aucun sens ?

Tandis qu'il dévalait les marches derrière son meilleur ami, les larmes lui brûlèrent les yeux.

A mi-chemin de l'interminable descente, il vit une femme de chambre émerger de la porte du onzième étage, et monter lentement vers lui, une pile de serviettes dans les bras. Poliment, il s'adossa à la rampe pour la laisser passer. Elle leva la tête un bref instant pour le remercier, et continua son chemin.

— Maman ?

Elle n'avait eu aucune expression particulière en croisant son regard. Quand il l'appela, elle continua son chemin comme si elle n'avait rien entendu. Abasourdi, figé sur place, il la vit disparaître par la porte menant au douzième étage. Elle ne se retourna pas une seule fois.

Il venait de voir sa mère ! C'était son visage, sa silhouette, sa voix. *Sa mère n'était pas morte !*

La voix de Mike lui parvint, déformée par les échos de la cage d'escalier.

— J'arrive ! cria-t-il en réponse à son appel.

Que faire ? Rattraper son ami ou courir après cette femme ?

Il n'osa pas la suivre...

L'émotion lui avait donné la nausée. Par chance, le père de Mike ne tarda pas à les rejoindre. Brett réussit à tenir bon jusqu'à ce qu'ils arrivent chez lui, dans le quartier de Green Valley.

Il demanda à son ami de choisir un film, puis se précipita vers les toilettes du premier, et vomit le repas que M. Stevens venait de lui offrir.

L'estomac vide, les jambes tremblantes, il se rinça la bouche, se brossa les dents, se retourna vers la porte pour redescendre... et découvrit son père planté sur le seuil, les mains sur les hanches, son regard scrutateur braqué sur lui.

— Ça fait combien de temps que tu es malade ? demandat-il.

Le pouls de Brett s'accéléra brutalement.

— Je... j'allais bien jusqu'au dessert. Le père de Mike a commandé un truc à la banane ; je crois qu'il y avait de l'alcool dedans. Ça m'a donné mal au cœur.

— Tu es très pâle. Je veux que tu ailles te coucher.

— Ça va mieux, maintenant. On va regarder un film, avec Mike.

— Pas ce soir. Je vais le ramener chez lui et, en rentrant, je veux te trouver dans ton lit. A tout de suite.

Son père n'avait pas l'habitude de se montrer aussi attentif. C'était nouveau !

Les jambes en caoutchouc, remâchant son amertume, Brett se replia dans sa chambre et tira de sa commode un pyjama propre et bien plié.

Mme Harmon, la dame que Papa avait embauchée pour le ménage et la cuisine, faisait du bon travail. Elle était même plutôt gentille, mais Brett ne s'habituait pas à sa présence.

Maman faisait toujours tout à la maison, jusqu'à l'année dernière, quand elle s'était remise à travailler. Il n'aimait pas voir quelqu'un d'autre envahir son espace.

Bien sûr, il n'avait pas son mot à dire. Son père refusait systématiquement de prendre son avis en considération. A tel point qu'il n'attendait plus qu'une chose : atteindre sa majorité. Ce jour-là, il serait enfin libre de quitter la maison. Il pourrait vivre sa vie.

Brett essuya ses larmes d'un revers de manche, puis éteignit sa lampe, se glissa dans son lit, et se mit à rêver à l'avenir, les yeux fixés au plafond.

La famille de sa mère vivait en Californie ; il pourrait habiter avec eux en attendant de trouver un travail. Son oncle Todd dirigeait une petite société informatique ; c'était un type cool, très détendu, très drôle : comme maman. Il n'y avait que quinze mois d'écart entre eux, et ils se ressemblaient énormément avec leurs cheveux blonds et leurs yeux bleus lumineux.

La femme de chambre avait ces yeux-là…

— Maman, murmura-t-il dans l'obscurité. C'était toi. Je suis sûr que c'était toi !

Grady Corbett se gara dans l'allée circulaire, au pied du perron. La propriété était somptueuse, et son ancien voisin semblait lui-même émerveillé par sa nouvelle demeure ; il manifestait un orgueil puéril et assez attachant. Comme d'habitude, la maison était éclairée tel un arbre de Noël.

Les affaires de Jim Stevens marchaient très fort. Après la réussite de L'Etoile, il venait de décrocher un contrat en or : une ville nouvelle à créer de toutes pièces dans la banlieue sud de Las Vegas.

Cet homme heureux avait une femme adorable et deux garçons : Randy et Mike. Mike était resté très ami avec Brett, mais, désormais, les deux garçons devaient faire des kilomètres à vélo pour se retrouver.

Depuis qu'ils vivaient ici, les Stevens recevaient énormément ; leur porte était ouverte à tout le monde. Leur fils était comme eux : ouvert et généreux. De tous les amis de Brett, c'était le plus agréable.

— Je suis désolé, Mike, dit Grady. Vous pourrez faire quelque chose ensemble demain soir, quand Brett sera rétabli.

— Je ne savais même pas qu'il était malade. Il a mangé toute sa glace au chocolat !

Grady hocha la tête sans réagir. Il sentait bien qu'il s'agissait d'autre chose que d'une simple indigestion, Mike venait, d'ailleurs, de le lui confirmer en lui apprenant que Brett n'avait mangé aucun « truc à la banane ».

— Oui, dit-il vaguement. Bonne nuit. Il t'appellera demain.

— Bonne nuit. Merci de m'avoir ramené, monsieur Corbett.

Déçu, le garçon descendit de voiture. Vite, Grady abaissa la vitre du côté passager, et se pencha pour lui lancer :

— Sois gentil : remercie ton père de ma part pour cette soirée. La prochaine fois, c'est moi qui invite.

— D'accord.

Le garçon agita la main, grimpa le perron quatre à quatre. Dès qu'il eut disparu à l'intérieur, Grady reprit le trajet en sens inverse, pressé de parler à son fils.

Avant même d'atteindre la chambre de Brett, il entendit ses sanglots. Atterré, il s'arrêta, puis vint sans bruit approcher son oreille de la porte. Chaque sanglot libérait un torrent de paroles. Grady n'arrivait pas à tout comprendre, mais un mot revenait sans cesse : Maman.

Décidément, ils ne s'en sortaient pas, pensa-t-il avec désespoir. Ils n'arrivaient pas à dépasser leur chagrin. Plus le temps passait, plus ils s'enfonçaient.

Susan leur avait été enlevée depuis six mois, maintenant, et ils demeuraient toujours au fond de ce gouffre de chagrin, ce lieu noir où la lumière ne pouvait plus les atteindre.

Il fallait faire quelque chose, et vite !

Grady ouvrit la porte, et vint s'asseoir sur le lit de son fils.

— Brett ?

Le garçon releva un peu la tête, sans le regarder.

— Ouais ?

— Je voudrais qu'on parle.

— De quoi ?

D'un geste maladroit, il lui pressa l'épaule, et répondit :

— De ta mère.

Le garçon retint son souffle, puis jeta très vite :

— Je croyais que tu n'aimais pas parler d'elle.

A son tour, Grady resta muet quelques secondes. Quels dégâts avait-il faits avec son silence ?

— J'ai eu tort de refuser de parler, de tout garder à l'intérieur, dit-il avec franchise. Quand tu as été malade, tout à l'heure, j'ai su que c'était encore une réaction. Je ne pourrais pas te dire le nombre de fois où je me suis senti mal, comme toi, pendant la nuit.

— Toi aussi ?

Brett s'assit dans son lit, et prit ses genoux entre ses bras.

— Oui, répondit gravement Grady. Tu sais, quand on s'est rencontrés, ta mère et moi, on a tout de suite su qu'on voulait passer le reste de notre vie ensemble. On s'est mariés, et tu es né quatre ans plus tard. Jamais je n'aurais pu imaginer qu'un jour, ta mère ne serait plus là.

— Moi non plus, chuchota le garçon d'une petite voix désolée.

— Je n'ai pas été un très bon père, depuis… Je suis désolé ; je vais essayer de faire mieux… Tiens, comme c'est le début des vacances de printemps, si on faisait nos bagages pour aller quelque part ? On pourrait visiter Disney World ou faire une de ces croisières dans les Caraïbes. On pourrait aussi faire de la plongée !

— Tu crois ?

L'incrédulité de Brett augmenta la culpabilité de Grady. Comme il avait été égoïste, aveugle ! Il aurait dû se rendre disponible plus tôt pour partager le chagrin de son fils.

— Oui, dit-il. Il est même grand temps. On partira demain matin.

Brett semblait hésiter.

— Pourquoi pas après-demain ?

— Il se passe quelque chose d'important, demain ?

— Tu promets de ne pas te mettre en colère ?

— Oui, je promets, répondit-il avec tristesse.

Puis il se rapprocha de son fils, hésita un instant, et le prit finalement dans ses bras.

— Je regrette d'avoir été aussi désagréable, Brett. Mais tu sais que je t'aime, n'est-ce pas ?

— Oui. Je t'aime aussi, P'pa.

Ils se serrèrent l'un contre l'autre dans le noir, chacun faisant semblant de ne pas se rendre compte que l'autre pleurait. Enfin, Grady se redressa.

— Alors, on décide où on veut aller pour nos vacances, et je m'occupe des réservations dès ce soir.

— J'aimerais voir mamie et Tonton Todd.

Grady aurait dû s'y attendre… En temps normal, ça lui aurait fait plaisir, mais… Todd ressemblait à Susan comme un jumeau, et ça, il n'était pas encore prêt à l'affronter. A Noël, peut-être...

— Ecoute, dit-il, je pense qu'on devrait plutôt aller dans un endroit nouveau, où on ne connaît personne. On se fabriquerait des souvenirs tout neufs.

— On ne peut pas les appeler pour leur demander ? insista Brett. Ils pourraient même venir en vacances avec nous ! Si on ne part que dimanche ou lundi, ça leur laissera le temps de s'organiser.

Mais qu'avait-il donc en tête ?

— Ils ne peuvent pas partir comme ça, au pied levé ! Todd est chef d'entreprise. S'il a pu se libérer, ils ont sûrement déjà fait des projets. Je ne comprends pas pourquoi tu ne veux pas partir dès demain, pour profiter au maximum de tes vacances.

A contrecœur, Brett marmonna :

— Il y a quelque chose que je dois faire d'abord.

— Ça ne peut pas attendre notre retour ?

— Non.

Grady cherchait à y voir plus clair sans bouleverser davantage le gamin.

— C'est au sujet des éliminatoires pour l'équipe de natation ? Mais ils durent tout le mois : tu auras encore le temps de te présenter en rentrant.

Comme Brett ne répondit rien, Grady commença à s'inquiéter sérieusement. En ébouriffant les cheveux blonds de son fils, il demanda :

— Est-ce que, par hasard, tu aurais des ennuis ? Si c'est le cas, tu sais bien que je t'aiderai, quel que soit le problème !

— Oui, répondit Brett à voix basse, mais je ne sais pas comment tu vas réagir quand je t'aurai dit ça.

Grady se raidit.

— Je ne me fâcherai pas, c'est promis.

Il y eut un silence tendu, puis Brett releva la tête.

A la faible lueur qui venait du couloir, Grady vit le visage de son fils, et son expression hantée lui fit peur.

— Tu m'as dit que Maman et M. LeBaron avaient été tués dans l'explosion mais qu'on ne les avait pas retrouvés. C'est pour ça qu'on a fait une cérémonie et pas un enterrement normal.

— C'est ça, oui, dit Grady en sentant le sang se glacer dans ses veines.

— Papa… Tu ne vas sûrement pas me croire, mais maman n'est pas morte le jour de l'explosion.

Les yeux fixés sur son fils, Grady attendit que le choc fût passé.

Cette fois, il fallait consulter un psychiatre.

Il posa la main sur l'épaule de son fils.

— On a déjà parlé de tout ça…

— Tu m'as dit qu'on n'avait jamais retrouvé leurs corps, reprit Brett d'une voix basse et butée.

Grady venait de promettre à son fils de l'écouter jusqu'au bout. Il fit donc appel à toute sa patience, et attendit qu'il eût terminé pour déclarer :

— Nous avons retrouvé des fragments de leurs voitures sur le site de l'explosion.

— Quelqu'un a pu les mettre là exprès. J'ai déjà vu ça dans un film.

Brett n'avait plus exprimé une telle détresse depuis l'accident…

— Le souffle de l'explosion l'a peut-être projetée quelque part, au loin, reprit-il. Elle a très bien pu atterrir à un endroit où personne n'a pensé à la chercher ! Il y a des gens qui sont emportés par des tornades sur des kilomètres !

Serrant les dents pour contenir son chagrin, Grady reprit la parole.

— Il s'est passé quelque chose, ce soir, dit-il à son fils. Dis-moi ce que c'est.

Brett hésita, se mordit la lèvre… et avoua tout :

— J'ai vu maman, tout à l'heure. Je l'ai vue. Je l'ai même appelée.

Grady poussa un énorme soupir de soulagement. Ce n'était que cela ? Au moins, ils pouvaient en parler. Ils pouvaient régler le problème. Ensuite, ils reparleraient de leurs projets de vacances.

— Sais-tu que je ne peux même pas compter le nombre de fois où j'ai cru l'apercevoir dans la foule ? Au début, je courais comme un fou pour voir son visage, et puis je m'apercevais que je m'étais trompé… Ça nous arrivera sans doute encore souvent.

— Non, tu ne comprends pas. C'était bien maman, mais elle ne m'a pas reconnu.

Malgré lui, Grady laissa échapper une sorte de plainte.

— C'est impossible ! Tu as vu une femme qui te rappelait ta mère. Tu voudrais tellement qu'elle soit vivante que tu as réussi à te convaincre que c'était elle.

— Je savais que tu ne me croirais pas.

Il glissa de l'autre côté du lit, et se leva, les poings serrés.

— Je sais ce que j'ai vu. Elle avait les cheveux plus courts, et ils étaient teints en brun, mais c'était elle. Pendant tout le trajet du retour, je n'ai pas arrêté de me dire que c'était juste une dame qui lui ressemblait, mais, plus j'y pense, plus je suis certain que personne ne pourrait lui ressembler à ce point-là. J'ai été malade parce que… parce qu'elle a fait semblant de ne pas me connaître. Parce qu'elle ne m'a pas répondu.

— Fils…

— Et alors, je me suis souvenu d'un documentaire sur la Seconde Guerre mondiale, que j'ai vu en cours d'Histoire. Ils montraient des soldats qui avaient été blessés dans les batailles et qui étaient devenus amnésiques. En rentrant chez eux, ils ne reconnaissaient plus les membres de leur famille. Il n'y en a qu'un seul qui est resté chez lui : tous les autres sont allés vivre ailleurs parce qu'ils ne pouvaient pas supporter ça.

Grady avait terriblement besoin d'une inspiration. S'il ne réagissait pas judicieusement, son fils risquait de se fermer de nouveau, de s'éloigner de lui...

— Où as-tu vu cette femme ?

— Elle montait l'escalier.

— Tu veux dire : à l'entrée de L'Etoile ?

— Non. Après le dîner, quand on est sortis du restaurant, les ascenseurs étaient trop pleins, alors Mike et moi, on a décidé de descendre par l'escalier.

Vingt-cinq étages ? songea Grady, amusé.

Il se contenta de demander :

— Mike l'a vue, lui aussi ?

— Non. Il était plus bas. Moi, j'étais au onzième étage quand elle a ouvert la porte et qu'elle s'est mise à monter. Elle portait des serviettes de bain. Quand elle est passée près de moi, on s'est regardés.

Brett se tut un instant. Ses lèvres tremblaient. Puis il cria presque :

— Je te jure, c'est maman !

— Tu en as parlé à Mike ?

— Non. Il m'aurait traité de fou. Mais moi, je sais bien que je ne suis pas fou.

La voix du garçon exprimait une conviction absolue. Grady sentit une sueur froide lui parcourir le dos. Ce n'était donc pas pour un simple caprice que Brett refusait de partir tout de suite !

Tout en s'efforçant au calme, il déclara :

— Si cette femme ressemblait tant à ta mère, je comprends que tu veuilles la revoir.

Brett ouvrit des yeux éperdus.

— Alors, tu me crois ?

— Je crois que tu es persuadé de l'avoir vue. Allez, habille-toi : on va retourner à l'hôtel. Si elle fait les nuits, elle est encore de service.

Dès qu'il eut fait cette proposition à Brett, il sentit vaciller sa détermination. Le gamin se mit à tirailler les boutons de son pyjama avec nervosité.

— Papa ?

— Si tu te sens trop fatigué, on peut remettre ça à demain, dit Grady d'une voix apaisante.

— C'est pas ça…

— Alors, quoi ?

— J'ai peur, chuchota Brett.

— De quoi ?

— En la voyant… je ne sais pas, ce sera un tel choc : tu pourrais faire une crise cardiaque ou je ne sais pas quoi…

Le mélange d'amour et d'angoisse qu'il pouvait lire dans les yeux de son fils secoua Grady jusqu'au plus profond de son être.

— Ne t'en fais pas. Je viens de passer une visite médicale, et ils n'ont pas trouvé le moindre problème.

— Tu es sûr ?

— Ecoute, Brett, il ne m'arrivera rien. Maintenant, dépêche-toi de t'habiller.

— D'accord. J'arrive tout de suite.

Grady se dirigea vers sa propre chambre. Pour lui, c'était un automatisme de prendre son arme avant de sortir. En refermant son veston, il fut surpris de découvrir que ses mains tremblaient. « Je n'ai rien mangé depuis le déjeuner, se dit-il ; il me faut juste un peu de carburant. »

Il descendit les marches quatre à quatre, et passa par la cuisine pour se faire un sandwich qu'il mangea debout, en vitesse. Il le terminait juste quand Brett le rejoignit enfin. Le garçon tenait à la main un petit rectangle de papier.

— Qu'est-ce que tu as là ?

— C'est une photo de maman. Je vais l'arranger pour que l'hôtesse qui est à l'accueil sache de quelle femme de chambre on veut parler.

Il ouvrit plusieurs tiroirs, se mit à fouiller, et trouva enfin un feutre marron. Fasciné, Grady le regarda colorier les cheveux de sa mère sur la photo.

Les retouches terminées, Brett rangea le feutre.

— Bon, je suis prêt, dit-il en tendant la photo à son père.

Ils se dirigèrent vers l'artère étincelante le long de laquelle s'alignaient les principaux casinos.

Grady se demandait encore s'il avait raison de se prêter à cette folie. C'était peut-être risqué sur le plan psychologique ? Pourtant, tant que la question ne serait pas réglée, il ne pourrait envisager des vacances. En rencontrant cette femme, Brett comprendrait son erreur, et ils pourraient passer à autre chose. Ils avaient tous deux besoin de prendre l'air : un voyage dans un endroit nouveau, un endroit où ils n'auraient aucun souvenir de Susan, leur ferait le plus grand bien.

Quand l'Etoile se dressa au bout de la rue, Brett se tourna vers son père.

— Qu'est-ce qu'on dira quand on nous demandera pourquoi on veut lui parler ?

Grady y avait déjà pensé.

— Je dirai au gérant que je travaille sur une disparition.

— Bien vu, papa. En plus, c'est même pas un mensonge.

Grady fronça les sourcils en regardant son fils du coin de l'œil. Le changement qui s'était opéré en lui depuis son retour de ce fichu dîner l'inquiétait de plus en plus. Au mieux, Brett allait au-devant d'une grosse déception ; au pire, le choc aurait de graves répercussions.

De toute façon, ils quitteraient Las Vegas demain, à la première heure.

Grady se gara à l'angle du bâtiment massif, dans un espace réservé à la police. Il sortit son macaron officiel de la boîte à gants, et l'accrocha au rétroviseur intérieur. Puis il rejoignit Brett qui montait déjà les marches du perron…

Dès qu'ils passèrent la porte, ils furent submergés par le brouhaha du casino bondé.

— Le bureau du gérant est par là ! lança le gamin en élevant la voix pour se faire entendre.

Brett et Mike avaient souvent visité le chantier pendant la construction : ils connaissaient l'hôtel comme leur poche. Grady s'avança dans la direction indiquée, et Brett le suivit, renonçant, pour l'instant, à prendre l'initiative. Bientôt, il frappa à une porte portant l'écriteau « Bureau de la Direction ».

— Entrez !

La pièce était assez grande. Un homme fort bien habillé, installé devant un ordinateur, leva les yeux et leur sourit avec courtoisie.

— Ken Adair, dit-il. Que puis-je faire pour vous ?

— Je suis le Lieutenant Corbett, Division spéciale de la police de Las Vegas. Voici mon fils : Brett.

Ils se serrèrent la main, et Grady sortit sa carte officielle.

— Je suis à la recherche d'une personne disparue, et il se trouve que j'ai une piste qui me mène dans cet hôtel. Un peu plus tôt dans la soirée, Brett a croisé une femme de chambre qui pourrait être celle que je recherche. Il l'a vue dans l'escalier, entre les onzième et douzième étages, vers 8 heures du soir.

Il sortit la photo de sa poche, et la tendit au gérant en lui demandant :

— Vous la reconnaissez ?

L'homme étudia la photo quelques instants, et secoua la tête.

— Non, dit-il, mais ce n'est pas surprenant. Le personnel est très nombreux. Je vais scanner cette photo et l'envoyer au responsable du service de nuit : il saura l'identifier.

— Je vous remercie. Si c'est possible, j'aimerais lui parler dès ce soir. Je n'aurai besoin que de quelques minutes.

— Je vais voir ce que je peux faire. Asseyez-vous. Si cette personne a déjà terminé son service, je vous trouverai ses coordonnées.

Grady remercia le gérant, tandis que Brett lui adressait un sourire de gratitude. Le gamin était pâle et tendu. Quant à Grady, il avait hâte d'en finir avec cette histoire.

Pendant dix minutes, ils assistèrent au défilé incessant du personnel dans le bureau. Le téléphone sonnait souvent. Enfin, après un coup de fil très bref, le gérant raccrocha, et fit signe à Grady.

— L'assistant du chef du personnel de nuit va descendre. Je pense qu'il pourra vous aider. Tenez, je vous rends votre photo.

Brett se leva, et demanda à son père d'un air anxieux :

— Tu crois qu'il va venir avec mam... la femme de chambre ?

Ce lapsus montrait qu'il était certain de retrouver Susan, et Grady s'inquiétait pour la suite des événements. Quand son fils allait être en face de cette inconnue, quand il découvrirait qu'elle n'était pas sa mère, comment trouver les mots capables de le réconforter ?

— Peut-être, murmura-t-il.

D'autres employés vinrent consulter leur chef, puis ressortirent. Chaque fois que la porte s'ouvrait, le regard de Brett s'éclairait, puis s'éteignait aussitôt.

Enfin, un petit homme très brun entra dans la pièce. Il alla échanger quelques mots avec M. Adair, puis se retourna vers Grady et Brett. Il était venu seul.

— Lieutenant Corbett ? Je suis Carlos. J'ai reconnu Martha Walters sur votre photo. Si je comprends bien, elle pourrait être la personne que vous recherchez ?

Grady se figea. Apparemment, cet homme trouvait la ressemblance évidente… C'était quand même troublant.

— C'est une excellente employée, et une femme charmante, dit Carlos. Je n'ai jamais compris pourquoi elle voulait un poste de femme de chambre : je la verrais plutôt sur scène, en train de danser. Elle a un corps de rêve, avec des jambes… Vous voyez ce que je veux dire ?

Grady réprima son agacement, et demanda un peu sèchement :

— Vous lui avez dit que j'aimerais lui poser quelques questions ?

— Le temps qu'on me prévienne, elle avait déjà terminé son service. Elle travaille de 13 heures à 21 heures. D'après le planning, elle ne reviendra que lundi.

Comme on était vendredi, le week-end promettait d'être difficile. En jetant un rapide coup d'œil à son fils, Grady sut qu'il était au bord de la crise de nerfs.

— Merci de vous être déplacé, murmura-t-il.

— De rien. Tenez, M. Adair m'a demandé de photocopier sa fiche d'embauche.

Il plongea la main dans la poche de sa veste, et en sortit un feuillet plié. Tout n'était peut-être pas perdu ?

— Merci encore.

Grady glissa le papier dans sa propre poche, et serra la main de l'homme. Puis, après avoir remercié d'un signe discret M. Adair qui était au téléphone, ils quittèrent le bureau.

Brett suivait son père comme une ombre. Lentement, ils se frayèrent un chemin dans la foule de la première salle de jeu, et atteignirent les portes.

L'air frais de la nuit leur fit du bien, et ils se laissèrent tomber sur les sièges de la voiture avec un soulagement réel.

— Allons voir où elle habite, dit Brett.

Grady soupira, réfléchit un instant, puis démarra. Puisqu'il s'était lancé dans ce périple, autant aller jusqu'au bout. S'il voulait la paix, il n'avait pas d'autre choix.

Tenant le volant d'une main, il sortit le papier de sa poche, et le tendit à son fils.

— Lis-moi son adresse.

Brett prit le papier avec une impatience fébrile, le parcourut du regard, et déclara enfin :

— Elle habite au 312 Meadow Street, appartement 5.

Il releva la tête, l'air surpris.

— Je ne connais pas cette rue.

— Je veux bien le croire, marmonna Grady en tournant dans une rue latérale.

— Pourquoi ?

— C'est un quartier assez minable, vers le Maryland Parkway. Des logements bon marché dans des immeubles en mauvais état.

A ce stade, il préférait mettre son fils en face de la réalité, sans chercher à l'adoucir. Mieux valait juguler d'emblée des espoirs qui ne pouvaient lui apporter que du chagrin. Pourtant, quand il jeta un coup d'œil à Brett pour voir sa réaction, il constata que le gamin étudiait le formulaire avec attention. Il n'avait peut-être même pas entendu sa remarque concernant le quartier où ils se rendaient.

— Papa ! s'écria-t-il tout à coup. Ecoute ça : elle a rempli cette fiche trois semaines après l'explos…

— Donne-moi ce papier, ordonna Grady avec une exaspération grandissante.

Il commençait à se dire qu'il n'aurait jamais dû venir ici. Bravo pour la psychologie ! Il mourait d'envie de froisser cette maudite feuille de papier et de la jeter par la vitre de la voiture, mais il ne pouvait pas perdre les pédales devant Brett.

Au prix d'un effort violent pour se contrôler, il glissa le papier derrière son pare-soleil.

Ils parcoururent encore trois kilomètres, jusqu'aux quartiers tristes au bout de la rocade. Grady prit la sortie menant au secteur qu'il cherchait. Si ses souvenirs étaient bons (ils dataient du temps où il était simple flic de patrouille), Meadow Street était la deuxième rue à gauche.

Brett ouvrait de grands yeux étonnés.

— Je croyais que les gens qui travaillaient dans des boîtes comme L'Etoile gagnaient bien leur vie, dit-il à son père. Randy, le grand frère de Mike, a un job au Sahara, et il vient de s'acheter une Ducati 996R neuve à vingt mille dollars.

— Randy ne fait sûrement pas le ménage : il doit avoir un emploi mieux payé. Et puis, il vit chez son papa, dans une grande maison sur le lac. Jim est plusieurs fois millionnaire, tu sais ? Par contre, les gens comme Martha Walters ont juste de quoi s'en sortir.

— Ce n'est pas son vrai nom, papa.

Grady crispa les mains sur le volant. Brett était trop investi dans cette histoire : il devenait impossible de le raisonner. Dans quelques minutes, s'ils avaient de la chance, ils verraient cette femme, et le cauchemar serait terminé.

Brett adressa à son père un regard accusateur, et lança d'une voix un peu étranglée :

— Puisque tu ne me crois pas, jette un coup d'œil à son écriture. Tu te souviens : tu la taquinais toujours parce qu'elle écrivait comme une petite fille, avec les lettres loin les unes des autres et des petits ronds sur les « i » à la place des points… Eh bien, regarde !

2.

Pressé d'en finir, Grady se gara avec brusquerie devant le petit immeuble qui portait le numéro 312. Une étroite pelouse râpée, un muret sale, quelques fenêtres éclairées… L'ensemble était triste et miteux.

Après avoir coupé le moteur, il leva la main pour reprendre le papier coincé derrière son pare-soleil, et alluma le plafonnier.

Très bien, il allait étudier cette fameuse écriture, et démontrer à Brett qu'elle n'avait qu'une vague ressemblance avec celle de Susan. Ensuite, ils ne reviendraient plus sur la question.

Il n'alla même pas jusque-là. Quand il découvrit la photo fixée en haut de la feuille, le monde s'arrêta brutalement de tourner. La femme qu'il avait aimée plus que sa vie posait son regard clair vers lui.

Il crut que son cœur allait s'arrêter de battre.

La couleur des cheveux n'y changeait rien. Seule une jumelle ou un clone pouvait présenter une ressemblance pareille.

Susan…

Comme un bourdonnement lointain, il entendait la voix effrayée de son fils qui l'appelait. Il ne pouvait pas répondre ni bouger ni même respirer. Pour l'amour du Ciel, sa femme était vivante !

Il enfouit son visage dans ses mains, terrifié à l'idée de découvrir que tout ceci était un rêve et que son fils lui criait de se réveiller.

— Papa, répétait Brett, affolé. Tu fais une crise cardiaque ? Papa, dis quelque chose !

Quand il sentit son fils lui saisir le bras pour le secouer, il réussit enfin à lever la tête. Il était toujours assis dans sa voiture, toujours garé devant l'immeuble — ce n'était pas un rêve. Il saisit Brett dans ses bras en l'écrasant presque contre lui.

— Tu me crois, maintenant, papa ?

— Brett, bredouilla-t-il d'une voix tremblante. Fils…

Il le serra encore plus fort, incapable de trouver ses mots.

— Je *savais* que c'était maman ! Il a dû lui arriver quelque chose et elle ne se souvient pas de nous. Elle ne se souvient de rien. Viens vite, on va la chercher et la ramener à la maison.

Grady, qui était encore sous le choc, ne s'aperçut pas tout de suite que Brett descendait de voiture. Ce fut le claquement de la portière qui le ramena à la réalité. Alors, il bondit de son siège, et courut derrière lui.

— Non, n'entre pas !

Brett s'arrêta à la porte de l'immeuble. Il trépignait littéralement d'impatience.

— Pourquoi ?

Parce que Grady n'était plus un mari en deuil qui vient de découvrir que sa femme est vivante ! Le détective en lui venait de se réveiller, et il avait une foule de questions en tête.

Surtout, pas de faux pas ! Si Susan était là, il espérait seulement que son appartement ne donnait pas sur la rue. Si elle n'était pas encore rentrée, mieux valait qu'elle ne les trouvât pas devant sa porte.

— Il faut qu'on parle. Reviens à la voiture.

— Mais, papa !

28

— Je t'en prie, Brett, dit-il sans élever la voix. J'ai mes raisons. Fais ce que je te demande, et vite.

L'incrédulité et la peine qu'il lisait dans les yeux de son fils lui broyaient le cœur. Quand ils remontèrent dans la voiture, le garçon sanglotait.

Grady démarra, tourna l'angle de la rue, et se gara derrière une vieille guimbarde au coffre complètement rouillé.

— Brett, écoute-moi. Dès que j'ai vu cette photo, j'ai compris que tu ne t'étais pas trompé, et j'ai eu envie de courir prendre ta mère dans mes bras. J'étais fou d'impatience, comme toi.

Brett leva vers lui son visage ruisselant de larmes, et lança d'un air furieux :

— Alors, qu'est-ce que tu attends ?

Pour commencer, il fallait s'assurer qu'elle ne vivait pas avec un homme — mais ça, il ne pouvait pas le dire à Brett.

— Répète-moi bien en détail comment ça s'est passé quand tu l'as vue dans l'escalier.

Brett recommença son récit auquel rien n'avait changé.

Seigneur, comment lui dire ? Il n'y avait que deux explications possibles : soit Susan était réellement amnésique, soit elle avait fait semblant de ne pas reconnaître son fils. Il pouvait imaginer plusieurs raisons pour cela, et Brett ne supporterait pas de les entendre en ce moment. Lui-même n'était pas sûr d'en être capable !

La police n'avait retrouvé aucun corps après l'explosion, seulement les deux voitures ou, du moins, ce qu'il en restait. Effectivement, ces indices avaient pu être laissés là délibérément. Grady ne savait que penser. Ses collègues croyaient LeBaron coupable de fraude fiscale. Déjà fragile mentalement, il aurait craqué à l'annonce de son contrôle fiscal, et tué Susan avant de se suicider. Selon eux, il ne voulait pas que Susan, chargée d'un audit sur sa société, pût témoigner contre lui devant un tribunal.

Ce scénario, auquel il n'avait jamais tout à fait cru, Grady pouvait l'oublier, car sa femme était vivante ! C'était bien sa photo sur la fiche d'embauche, et aussi son écriture. Les dates correspondaient également. Plus important encore, Brett avait vu sa mère dans cet escalier...

Susan connaissait-elle LeBaron personnellement, avant d'être chargée de cet audit ? S'ils avaient une liaison, cela pouvait expliquer sa décision subite de prendre un emploi, quelques mois avant l'accident. En entrant dans cette boîte spécialisée dans les audits, elle trouvait un prétexte pour le voir sans que personne n'y trouvât rien à redire.

Cela expliquerait aussi la distance qui s'était installée entre eux, au cours des sept derniers mois de leur mariage.

Poussant son raisonnement une étape plus loin, Grady imagina que sa femme avait projeté de s'enfuir avec LeBaron. Dans ce cas, ils auraient très bien pu mettre en scène leur propre mort pour se libérer de leurs familles. En faisant sauter l'usine entière ? Il secoua la tête. C'était un peu gros... mais pas impossible ! En tant que policier, il avait travaillé sur des affaires similaires, et il savait que la vérité est souvent surprenante. Cette explication répugnante était peut-être la bonne.

Mais il en existait d'autres. Comme la tragédie qui était arrivée à un juge de Reno, quelques années auparavant. Un homme, que le magistrat avait condamné à la prison à vie, s'était évadé, et était venu assassiner toute la famille de celui qu'il tenait pour responsable de son emprisonnement.

Dans un registre similaire, on pouvait imaginer qu'un criminel autrefois arrêté par Grady eût cherché à prendre sa revanche. Pour peu qu'il eût des liens avec la mafia, il pouvait créer la diversion idéale en faisant croire au monde entier que Susan était morte dans l'explosion de la fabrique LeBaron.

Sans que personne n'en sût rien, il pouvait alors l'installer à L'Etoile avec un job et une nouvelle identité, en la menaçant de tuer son mari et son fils si jamais elle parlait.

Dans l'absolu, c'était vraisemblable. Mais Grady se heurtait toujours à la même impossibilité. La femme qu'il avait tant aimée serait incapable de croiser son enfant sans avoir la moindre réaction.

Il passa ses mains tremblantes dans ses cheveux, en cherchant à maîtriser ses émotions. Dire que, pendant tout ce temps, elle était là, à quelques kilomètres de chez eux !

Laissait-il son imagination l'emporter trop loin ? Il avait déjà rencontré des situations étranges ; il savait que tout était possible.

Peut-être souffrait-elle réellement d'amnésie ? Peut-être n'était-elle qu'une victime innocente de l'explosion ?

Ou sa cible ?

Pour l'instant, Brett n'avait pas besoin de savoir tout ce qui se passait dans la tête de son père. Mais il fallait quand même lui dire quelque chose.

— Fils ? lança Grady en se tournant vers lui. Disons que ta mère est bien amnésique, comme les soldats de ton documentaire…

— Oui ?

— Si nous nous présentons à sa porte, nous serons des inconnus pour elle. Quand elle nous ouvrira, elle ne se souviendra peut-être même pas de t'avoir croisé dans cet escalier. Il faut que tu t'y prépares.

— Je suis prêt. On peut y aller, maintenant ?

— Oui, mais sois bien conscient que nous allons peut-être lui faire peur. Elle risque de nous demander de partir.

— Maman ne fera pas ça quand elle saura qui on est !

Il avait beau avoir treize ans, il gardait une foi d'enfant.

— Peut-être, peut-être pas.

— S'il y a des problèmes, on trouvera bien un plan pour qu'elle revienne vivre avec nous, hein, papa ?

— Brett, elle vit loin de nous depuis six mois. Si elle n'a aucun souvenir du passé, il se peut qu'elle s'intéresse à un autre homme.

Si, par malheur, elle était prisonnière et victime d'un chantage quelconque, Grady devait le découvrir avant de la contacter. Comment faire ? Inconscient du tourment qui l'agitait, Brett poursuivait son idée :

— Oh, mais quand on leur dira qui on est, elle voudra bien nous faire entrer !

— Ça ne me semble pas si évident.

Surtout si elle fait semblant de ne pas se souvenir…, pensa-t-il. Enfin, ça, ils le sauraient très vite. D'après les experts de la police, il était quasiment impossible de feindre l'amnésie devant un proche.

— Papa, si j'étais amnésique, je ferais n'importe quoi pour retrouver mon passé.

Grady ne pouvait plus résister à l'espoir qu'il lisait dans les yeux limpides de son fils.

— Oui, bien sûr, moi aussi. En même temps, nous ne sommes pas ta mère ; nous n'avons aucune idée de ce qui se passe dans sa tête.

— Je sais ce qu'on peut faire ! s'écria Brett. On va rentrer à la maison chercher nos albums de photos. Quand elle nous verra ensemble tous les trois, elle sera bien obligée de nous croire !

— C'est une très bonne idée… mais ça ne lui rendra pas ses sentiments pour nous.

Il avait déjà vu des victimes d'accidents frappées d'une perte de mémoire temporaire. Leurs familles étaient obligées d'endurer leur indifférence, d'attendre que le traumatisme passe. Brett pouvait sans doute comprendre ça intellectuellement, mais comment supporterait-il, émotionnellement, la présence d'une mère qui ne le reconnaissait pas ?

— Je m'en fiche. Si je savais que j'avais une famille qui m'aimait, je voudrais les connaître ; je ferais des efforts. Ecoute, on ne devrait rien lui dire, pour l'explosion. Si on lui expliquait juste qu'un jour, il y a six mois, elle a disparu et qu'on l'a cherchée sans arrêt, depuis ? Le fait de passer du temps avec nous fera peut-être revenir ses souvenirs.

Redoutant de lui donner trop d'espoir, Grady murmura :

— D'après ton documentaire, la mémoire ne revient pas à tous les coups.

Surtout s'il y avait un autre homme. Nom d'un chien, l'idée qu'un autre pût toucher Susan…

— Alors, il faudra tout recommencer à zéro, lui donner des nouvelles raisons de nous aimer, dit Brett avec une détermination implacable.

Jamais Grady n'avait aimé son fils plus qu'en cet instant.

— Très bien, dit-il. Voilà ce qu'on va faire. Il y a une maison, juste à côté de son immeuble. Je vais me garer là et te laisser dans la voiture avec les portières verrouillées. Tu vas m'attendre pendant que je discute un peu avec le gardien de son immeuble. En fonction de ce que j'aurai pu apprendre, on avisera. D'accord ?

— D'accord, marmonna le garçon à contrecœur.

Quelques secondes plus tard, ils se garaient devant la maison.

— Je reviens tout de suite.

De nouvelles larmes de colère et de peine jaillirent des yeux de Brett. Il appuya sa tête contre la vitre.

Grady s'était toujours montré beaucoup plus prudent que les pères de ses petits copains. Sa mère lui avait expliqué que c'était à cause de sa profession : le fait d'être lui-même exposé à tous ces drames décuplait son appréhension. Bien que ce fût parfois pénible, l'enfant avait appris à l'accepter. Mais pas ce soir !

N'importe quel autre homme, en découvrant que sa femme était vivante, se serait précipité pour la prendre dans ses bras. Mais pas son père ! Oh, non ! Lui, il devait d'abord aller discuter avec le concierge, et Brett ne pouvait même pas l'accompagner.

Il ne supportait plus d'être traité comme un bébé. Voilà pourquoi il aimait tant son oncle Todd. Lui, au moins, le respectait. On pouvait discuter de tout avec lui. Et même M. Stevens, qui était souvent maladroit, souvent indiscret, ne lui donnait pas cette impression d'être encore à la maternelle.

S'ils avaient dîné avec Grady, ce soir, plutôt qu'avec le père de Mike, il aurait probablement tenu à les accompagner jusqu'aux ascenseurs pour s'assurer qu'ils ne rencontraient aucun problème.

D'ailleurs, c'était surprenant qu'il ne lui eût pas reproché d'être descendu par l'escalier. Brett pouvait facilement imaginer son discours : « Cet escalier est là pour le personnel et pour les urgences. Du coup, peu de gens l'empruntent, si bien qu'il peut être désert, donc dangereux. La prochaine fois, vous attendrez l'ascenseur. »

Mais, s'il avait attendu, il n'aurait jamais vu sa mère !

Tournant la tête, il contempla le petit immeuble. Maman était probablement à l'intérieur, en ce moment même. Avec l'amnésie, elle ne l'avait pas reconnu, mais, vu la réaction bizarre de son père et cet air de ne pas dire ce qu'il pensait vraiment, Brett commençait à avoir peur.

Et si ses souvenirs étaient revenus après l'explosion sans qu'elle en parle à personne, parce qu'elle avait décidé de ne plus vivre avec lui et son père ? Certaines mères quittaient leurs familles : il avait vu des faits divers aux informations, et aussi des séries policières à la télé, avec des mères qui partaient un beau jour en laissant leurs enfants derrière eux.

La sienne était-elle comme ça ? Avait-elle pris un travail pour pouvoir partir ? Parce qu'elle ne les aimait plus ? Et si ce qu'il redoutait à une époque était vrai ? Si ses parents avaient déjà décidé de divorcer, au moment de l'accident, sans oser lui en parler ?

Cela voudrait dire que son père lui avait menti, ce soir. Et maintenant, il faisait des mystères : il voulait entrer seul dans l'immeuble, et jouait au grand détective. En revenant à la voiture, il dirait probablement : « On ne peut pas voir ta mère ce soir. Avant de la contacter, il faut que je vérifie encore quelques détails. »

Cela, Brett ne le supporterait pas.

Il tendit la main, et prit le téléphone portable que son père avait abandonné sur le siège. Il allait appeler oncle Todd en Californie pour lui dire que sa mère était vivante. Et si son père se mettait en colère, tant pis.

Il venait juste de composer l'indicatif quand la portière s'ouvrit. Brett laissa retomber le téléphone et, pour une fois, son père ne sembla pas remarquer son mouvement furtif.

— Je viens d'apprendre que ta mère partage un appartement avec deux collègues de travail. On va rentrer chercher l'album photo. En revenant, je vais te laisser mener la conversation.

Il démarra, et reprit le chemin de leur maison.

Brett en restait muet de stupéfaction. Son père semblait bien plus excité qu'auparavant. Le laisser mener la conversation ? Du coup, il se sentait coupable de ses pensées négatives.

— Papa ?

— Oui ?

— Le concierge t'a dit si elle avait un petit ami ?

— Il m'a dit qu'il ne l'avait jamais vue avec un homme.

— C'est bien, non ?

— C'est très, très bien.

Sans quitter la route des yeux, Grady passa le bras autour de l'épaule de son fils.

— Elle vit là depuis longtemps ?

— Depuis qu'elle travaille à L'Etoile.

Dans l'euphorie du soulagement, Grady pulvérisa les limitations de vitesse. Quand ils reviendraient sur les lieux, il serait au moins 10 h 30. Un peu tard pour déranger les gens, mais il ne pouvait pas attendre plus longtemps avant de revoir sa femme. Rien de tout cela ne serait réel avant qu'il ne la vît, face à face.

Son cœur battait furieusement dans sa poitrine. Dans quelques minutes, il pourrait plonger son regard dans le sien... et peut-être voir sur ses lèvres ce sourire qui lui coupait le souffle.

— Tu es là ?

On frappait à la porte. Tirée de son premier sommeil, Martha leva la tête.

Que se passait-il ? Ses amies rentraient généralement éreintées de leurs huit heures de service, et elles se couchaient tôt.

— Oui, Tina, qu'est-ce qu'il y a ?

— Désolée de te déranger, mais il y a un policier à la porte. Il veut te parler.

Elle se redressa brusquement dans son lit, les mains crispées sur le drap.

— Tu... tu es sûre que c'est un vrai policier ?

Six mois auparavant, à son arrivée au Foyer des Femmes, plusieurs des autres pensionnaires lui avaient demandé si sa blessure à la tête venait d'une raclée administrée par un amant jaloux.

Ses consœurs au Foyer trouvaient « romantique » le mystère qui l'entourait, et spéculaient sans cesse sur ce qui lui était arrivé.

Compte tenu de son physique, elles l'imaginaient danseuse ou même call-girl. En apprenant qu'elle errait sur la réserve indienne, l'une d'entre elles avait suggéré qu'elle était la petite amie d'un membre de la mafia. D'après elle, on se débarrassait souvent de ceux qui en savaient trop en déposant leur corps dans le désert. Les vautours se chargeaient du reste.

Elle avait donc conseillé à Martha de changer la couleur et la coupe de ses cheveux pour éviter que le type la reconnaisse un jour dans la rue.

Terrorisée par cette idée, Martha avait suivi le conseil de son amie. Puis elle s'était mise à travailler à L'Etoile et, comme il ne se passait rien d'inquiétant, elle s'était sentie rassurée. Jusqu'à ce soir !

— Il m'a montré une plaque avec sa photo, expliquait Tina à travers la porte. La photo est ressemblante, et je peux même te dire que c'est le flic le plus craquant que j'aie jamais vu. Tu sais quoi ? Il a dû te voir à l'hôtel, et il veut te proposer de sortir avec lui.

— Ne sois pas ridicule !

— Ce n'est pas ridicule, répliqua la jeune femme en s'embarquant avec fougue sur son sujet préféré. La plupart des hommes te font des avances, mais tu dis toujours non. Carlos n'arrête pas de me supplier d'organiser quelque chose pour vous deux...

Les intentions de Tina étaient bonnes, mais son insistance finissait par être pesante. Ni Tina ni Paquita, leur autre colocataire, n'étaient au courant pour son amnésie.

Elles se rendaient au travail ensemble, dans la voiture de Tina, et partageaient tous les frais.

Les autres ne se doutaient pas que Martha vivait dans une terreur constante. Quelqu'un, quelque part dans cette ville, avait tenté de la tuer. Si, un jour, la mémoire lui revenait, elle s'apercevrait sans doute que son passé n'était fait que de manigances sordides. Elle était hantée par la possibilité d'avoir un casier judiciaire — elle était peut-être en train de commettre un crime quand on l'avait assommée ?

Pour satisfaire la curiosité de ses amies, elle leur avait expliqué qu'elle arrivait tout juste de l'Arizona, qu'elle venait de divorcer et qu'elle préférait ne pas parler de ses problèmes. Les questions s'étaient arrêtées net, et, avec une gentillesse touchante, les filles avaient tout fait pour lui faciliter son nouveau départ dans la vie.

La seule personne à comprendre son tourment était le prêtre de l'église où l'avait entraînée Paquita. Etait-elle croyante avant de perdre la mémoire ? Elle l'ignorait, mais elle savait qu'un prêtre ne peut révéler à personne les secrets avoués en confession. A lui, elle osait donc parler.

Le Père l'avait encouragée à venir le voir régulièrement et à ne jamais perdre confiance en elle. Quel que fût son passé, lui répétait-il, elle pouvait décider de son avenir...

— Martha ? Il t'attend !

Machinalement, elle se tourna vers la fenêtre, et dut lutter contre le réflexe qui la poussait à dévaler l'échelle d'incendie pour s'enfuir, n'importe où.

Si c'était un vrai policier, il venait peut-être l'arrêter ! En même temps, elle n'en pouvait plus d'être une fugitive privée de son passé. Mieux valait l'affronter ! Elle apprendrait peut-être enfin quelque chose sur elle-même...

— J'arrive ! Dis-lui que je viens dans une minute.

Elle se glissa hors de son lit. Elle possédait très peu de vêtements car elles économisaient toutes les trois pour prendre ensemble un appartement dans un quartier plus agréable. Vite, elle ouvrit la penderie qu'elle partageait avec Tina, et étudia sa maigre garde-robe. Si on l'emmenait au poste, elle voulait avoir l'air aussi présentable que possible.

Elle choisit finalement la robe rose à manches courtes qu'elle avait trouvée dans un magasin discount, et s'habilla rapidement. Après avoir enfilé ses chaussures de travail blanches à talon plat, elle passa dans la salle de bains pour se brosser les cheveux et mettre du rouge à lèvres.

Voilà, elle était prête. Elle prit une profonde inspiration pour se donner du courage, et traversa le living du petit appartement.

Tina regardait la télé, installée sur le canapé-lit. En voyant passer son amie, elle leva les sourcils et eut un sourire amusé. Comme elle serait choquée si le policier l'arrêtait ! Quelle humiliation s'il lui passait les menottes !

La gorge serrée, Martha sortit sur le palier, et tira la porte derrière elle.

Dans le couloir faiblement éclairé, elle vit un homme grand, fortement charpenté, avec des cheveux sombres, presque noirs.

Il s'approcha un peu, et elle découvrit ses yeux noisette. Il les fixait sur elle avec une telle intensité qu'elle sentit la sueur l'inonder.

— Mademoiselle Walters ? demanda-t-il.

— Oui.

— Je suis le Lieutenant Corbett, de la police de Las Vegas.

Il lui montra sa carte, et elle vit qu'effectivement, la photo était ressemblante.

Tina avait raison : il était extrêmement séduisant — mais il venait certainement pour des raisons professionnelles et pas pour lui faire des avances.

Mieux valait en finir tout de suite : elle ne pourrait pas supporter cette tension un instant de plus.

— J'ai fait quelque chose ? demanda-t-elle.

Elle vit le visage de l'homme s'assombrir, comme s'il était consterné par sa question.

— Non, dit-il.

— C'est vrai ? s'exclama-t-elle, incrédule. Vous n'êtes pas venu m'arrêter ?

Il la regarda au fond des yeux.

— Mais non, pas du tout.

— Dieu merci ! balbutia-t-elle en ravalant ses larmes.

— Je suis désolé si ma visite vous a inquiétée. Je travaille sur une affaire de personne disparue.

Elle sentit une nouvelle vague de frayeur l'envahir. L'homme qui avait voulu se débarrasser d'elle venait-il d'apprendre qu'elle était en vie ? Avait-il chargé ce policier de la retrouver ? On disait que, parfois, des truands concluaient des accords avec la police. Dans ces conditions, à qui aurait-elle pu faire confiance ?

Soudain, elle fut tentée de bondir dans l'appartement, de se barricader, de faire ses bagages et de disparaître.

Mais elle ne bougea pas.

Avec un regard bizarre, le policier appela, par-dessus son épaule :

— Brett ?

Un garçon blond de treize ou quatorze ans, aussi grand qu'elle, vint rejoindre le policier. Il portait un grand livre sous le bras. Quand il leva la tête vers elle, elle s'écria :

— Mais je t'ai vu, tout à l'heure !

Il hocha la tête, et lui adressa un sourire hésitant. L'homme et le garçon la contemplaient si intensément que sa frayeur se réveilla. Ce fut un soulagement quand le gamin rompit ce trop long silence.

— Nous nous sommes croisés dans l'escalier de l'hôtel.

— Oui, tu as été très poli : tu t'es écarté pour me laisser passer.

Elle l'avait trouvé charmant, et son expression se confirmait, maintenant qu'il fixait sur elle ses yeux gris-bleu, remplis d'une émotion qu'elle ne comprenait pas.

— Tu es à Las Vegas pour les vacances ? demanda-t-elle pour dire quelque chose.

— Oh, non ! J'habite ici. Ce soir, le père de mon meilleur copain nous a emmenés dîner en haut de L'Etoile. Il y avait tellement de monde dans les ascenseurs qu'on a pris l'escalier pour descendre.

— Oui, c'était sûrement plus rapide.

Il hocha la tête.

Elle demanda, en pressant ses mains l'une contre l'autre :

— C'est toi qui recherches quelqu'un ?

— Oui.

— Brett, intervint Grady, je te présente Martha Walters. C'est bien elle que tu voulais retrouver ?

— Oui. C'est elle.

Ce garçon la recherchait ? Quand le couple d'Indiens l'avait emmenée au Foyer, la responsable s'était adressée à la police pour savoir si elle figurait sur leur liste de personnes disparues. Elle s'était donné beaucoup de mal pour trouver son identité, mais ses démarches s'étaient soldées par un échec.

Las Vegas était rempli de filles venues du désert pour gagner de l'argent facile. Martha supposait qu'elle entrait dans cette catégorie.

Jusqu'ici, personne n'avait jailli de son passé pour lui en apprendre davantage sur sa vie, et elle était loin d'imaginer qu'un adolescent viendrait lui donner de ses propres nouvelles !

Contrôlant son excitation — car elle redoutait encore d'apprendre quelque chose de négatif sur elle-même —, elle le questionna avec prudence.

— Ça fait longtemps que tu me cherches ?

— Depuis le vingt août de l'année dernière.

Sa vie actuelle commençait le vingt-sept, jour où elle avait atterri au Foyer des Femmes, après être sortie de l'hôpital, sans plus de souvenirs qu'un nouveau-né.

— Je suis désolée, mais... tu es sûr que nous nous sommes déjà rencontrés ?

— Oui.

Le garçon se retourna vers le policier. Celui-ci sortit une photo de sa poche et la lui tendit.

— Vos cheveux ne sont plus de la même couleur, expliqua le gamin en s'approchant. Ils étaient blonds et plus longs, mais je vous aurais reconnue n'importe où.

Elle sentit son cœur battre follement.

— Je me suis teint les cheveux, c'est vrai, et...

— Ce que Brett essaie de vous dire, interrompit Grady, c'est que, grâce à cette photo, le gérant de l'hôtel a tout de suite retrouvé votre dossier. Nous sommes arrivés trop tard : vous étiez déjà partie. Alors il a accepté de me donner votre adresse...

— Je vois.

Elle jeta un coup d'œil à la photo, et fut stupéfaite de découvrir son image.

— Oh ! C'est vraiment moi !

La photo glissa de ses doigts. Aussitôt, l'homme se baissa pour la ramasser.

Martha regardait le garçon qui s'appelait Brett.

— Où as-tu trouvé cette photo ?

— Dans notre album de famille. Vous voulez en voir d'autres ?

Cette impatience qui tremblait dans sa voix… la question n'était pas anodine. Si le policier n'avait pas amené ce garçon si vulnérable, elle aurait sans doute refusé de lui parler plus longtemps.

— On se connaît bien ? demanda-t-elle à Brett.

En la regardant avec beaucoup de gravité, il répondit :

— Vous êtes ma mère.

3.

Martha entendit les paroles de Brett, mais son cerveau refusa de traiter l'information. Ce garçon venait-il de lui dire qu'il était son fils ? Elle avait un fils ?

— C'est pour ça que je t'ai entendu dire « maman », dans l'escalier ?

— Oui.

— J'ai pensé que tu t'adressais à quelqu'un d'autre : on entendait des pas, plus bas…

— C'était Mike, mon meilleur ami. J'espérais que vous alliez me reconnaître…

Elle secoua la tête, complètement désorientée.

— Je… Je regrette. Je…

— Pas de problème.

Oh, si ! C'était même un problème terrible : elle l'entendait dans la voix frémissante du garçon. Mais elle se sentait envahie par une sensation curieuse, et elle ne parvenait pas à réagir. Les mots se refusaient à elle ; elle avait l'impression que le plancher se dérobait sous ses pieds…

Des bras solides la saisirent au moment où elle tombait. Quand sa vision s'éclaircit, elle s'aperçut que le policier l'avait installée sur la première marche de l'escalier. De sa voix grave, il lui demandait de poser la tête sur ses genoux, en attendant que son vertige fût passé.

— Attendez un peu avant de bouger, lui recommanda-t-il quand elle voulut se lever.

Elle sentit sa main se poser sur sa nuque, et s'écarta de lui.

— Non, c'est ridicule… Excusez-moi. Je vais bien, maintenant.

Il la lâcha enfin, mais elle sentit qu'il le faisait à contrecœur. Redoutait-il de la voir dégringoler au bas des marches si elle tentait de se mettre debout ?

Gênée de sentir cet homme aussi près d'elle, elle se retourna vers Brett.

— Qu'est-il arrivé à ta mère ?

Le visage anxieux du gamin se crispa.

— C'est toi ma mère ! Je peux te tutoyer, maintenant ? Tu sais, Papa et moi, on a cru que tu étais morte à cause de la bombe, mais on n'a jamais retrouvé ton corps.

Une bombe ?

— Doucement…, murmura l'homme à l'oreille du garçon.

D'une voix plus ferme, Martha demanda :

— Je peux regarder ton album, s'il te plaît ?

— Tiens.

Il le lui fourra dans les mains avec une impatience touchante. Elle le prit, le posa sur ses genoux. Spontanément, il s'assit près d'elle en expliquant :

— Ces photos-là sont les plus récentes. Vas-y, regarde !

Dans une sorte de brouillard, elle passa la main sur la couverture de cuir lisse, et ses doigts rencontrèrent un titre gravé en creux. Elle se pencha pour mieux voir, et lut « La Famille Corbett », en lettres dorées.

Corbett… Où avait-elle entendu ce nom ?

Retenant son souffle, elle ouvrit l'album. Il n'y avait qu'une seule photo sur la première page : une grande photo couleur prise par un photographe professionnel. Oui, c'était bien elle, impossible d'en douter. Elle se tenait debout derrière un canapé, les bras autour des épaules de Brett et de… et de…

Elle leva brusquement la tête, et croisa le regard fixe du policier. Puis elle se rappela sa voix grave : « Je suis le Lieutenant Corbett, de la police de Las Vegas… »

Comme dans un film au ralenti, elle referma le livre et se leva sans quitter l'homme des yeux. Des yeux remplis d'un extraordinaire mélange d'émotions : inquiétude, tendresse, bonheur et souffrance… Etait-il possible que cet homme fût son mari ?

Fébrile, elle étudia son visage en cherchant un souvenir, un détail familier.

— Je m'appelle Grady…

— Vous nous croyez, maintenant ?

Elle détourna les yeux, gênée par l'intimité du regard qu'ils venaient d'échanger tous les trois. Ils lui demandaient trop !

Se raccrochant à la rampe, elle bredouilla :

— Mon vrai nom, c'est… ?

— Susan ! répondirent-ils ensemble.

— Et mon nom de jeune fille ?

— Nilson, murmura le policier.

Le fait de se découvrir épouse et mère — au lieu des hypothèses épouvantables qui la tourmentaient depuis six mois — la remplissait de reconnaissance, mais, en même temps, cette révélation la plongeait dans un nouveau vertige. Il lui fallait du temps pour comprendre tout ce que cela impliquait.

— Pardonnez-moi, mais… je me sens très choquée, très fatiguée, et je voudrais rentrer, maintenant. Si vous voulez bien me donner votre numéro de téléphone, je vous appellerai demain.

Le policier ne recula pas d'un pouce.

— Je suis sûr que vous êtes très choquée, mais je vais devoir vous demander de venir avec nous.

Il parlait avec une telle autorité qu'elle se retourna vers lui, abasourdie.

— Brett, tu veux bien retourner dans la voiture, s'il te plaît ? Mlle Walters et moi, nous te rejoindrons dans quelques minutes. Voilà les clés.

Sans un mot, le garçon prit le trousseau, ramassa l'album abandonné sur une marche, et dévala l'escalier.

— Lieutenant…

— Nous ne pouvons pas rester éternellement sur ce palier. Je ne parle plus en tant que… mari, mais en tant qu'officier de police. Certains éléments indiquent que vous avez été victime d'une tentative de meurtre. J'ai éloigné Brett parce que je ne veux pas qu'il le sache pour le moment. Il vient de retrouver sa mère qu'il croyait morte : il est trop fragile pour supporter un nouveau choc.

— Je comprends votre inquiétude, murmura-t-elle.

— Alors, vous devez aussi comprendre autre chose. Je pense que votre vie est en danger.

Martha le pensait, elle aussi, mais cette angoisse lui était familière et, finalement, elle lui semblait moins redoutable que l'idée de suivre cet homme.

Car, s'ils étaient réellement mariés, il avait sans doute gardé vis-à-vis d'elle des sentiments d'époux. Il devait se rappeler un temps où il partageait tout avec elle, y compris son lit. Sa voix était sévère, mais il y avait trop de douceur dans le regard qu'il fixait sur elle…

— Nous allons rentrer à la maison, lui dit-il. Vous serez en sécurité. Après une bonne nuit de sommeil, je vous dirai tout ce que je sais, mais, pour l'instant, il faut me faire confiance. Si ça vous met mal à l'aise de passer la nuit sous le toit d'un… inconnu, vous pouvez demander à la jeune femme qui nous a ouvert la porte de nous accompagner. Personnellement, j'aimerais mieux ne pas la mêler à cette affaire, mais…

— Moi aussi.

— Alors, dites-lui que j'ai besoin de votre aide pour éclaircir le cas d'une personne disparue, et que je vous emmène au commissariat central afin de vous montrer nos photos d'archives. Prévenez-la que ça prendra sans doute toute la nuit.

— D'accord.

— L'important, c'est que vous partiez d'ici avant que la rumeur ne se répande que je cherchais des informations sur Martha Walters. Si une personne, à l'hôtel, parle de ma visite, ça peut déclencher une réaction en chaîne, et pousser quelqu'un d'autre à se mettre à votre recherche. Dans ce cas, il ne faut pas qu'on sache où vous trouver.

Elle frissonna, et ne répondit pas.

— Personne ne vous a reconnue, au cours des six derniers mois ? lui demanda Grady.

— Non. J'espérais que ça arriverait et, en même temps, je le redoutais parce que j'avais peur qu'on veuille encore me faire du mal…

Il eut une grimace fugitive, et sa voix se radoucit.

— Au cas où vous vous demanderiez si je suis bien celui que je prétends être, je vous propose de téléphoner au commissariat central. J'attendrai dans la voiture. Nous sommes garés juste à côté.

Il y eut un silence, puis il ajouta avec gêne :

— Inutile de faire des bagages. Je n'ai jamais pu me séparer de… vos affaires.

Il s'engagea dans l'escalier, et disparut. Elle le suivit du regard, admirant, malgré elle, sa haute silhouette athlétique. Inutile de téléphoner à qui que ce fût pour se faire confirmer son identité : elle le croyait sur parole. Il semblait réellement bouleversé et prêt à tout pour gagner sa confiance. Il était même capable de laisser de côté sa propre émotion pour se mettre à sa place… Elle devinait en lui un être exceptionnellement généreux.

Et elle était si lasse de vivre dans la peur ! Ce serait si merveilleux de se retrouver dans un endroit sûr, même pour une seule nuit ! Il avait raison : mieux valait ne pas mêler ses colocataires à cette histoire.

— Eh bien, il était temps ! lui lança Tina quand elle rentra enfin et referma la porte derrière elle. Qu'est-ce que vous faisiez dehors, pendant tout ce temps ?

Martha prit son courage à deux mains pour réciter sa leçon :

— Le lieutenant est à la recherche d'une personne disparue.

— Intéressant !

— C'est, euh… en rapport avec un client de l'hôtel. C'est moi qui ai fait sa chambre. Ce policier m'a posé une foule de questions et, maintenant, il veut que j'aille avec lui au commissariat central pour regarder des photos. Il dit que ça peut prendre toute la nuit.

— Qu'est-ce qui va prendre toute la nuit ? Regarder ses photos ou faire connaissance avec lui ?

— Peut-être les deux, répondit Martha qui avait décidé de jouer le jeu.

— C'est bien ce que je me disais. Les types comme lui ne sonnent pas à notre porte tous les jours. C'est le genre d'homme qu'on a envie de garder toujours.

Martha sentit un nouveau frisson, très différent, lui parcourir le dos.

— Je prends mon sac et je file, dit-elle abruptement. Il m'attend.

Elle se précipita dans sa chambre, saisit son sac, et regarda autour d'elle, indécise. Elle se sentirait mieux si elle emportait quelques affaires, mais comment expliquer ça à Tina ?

Finalement, elle ne prit que sa brosse à dents.

Voilà, elle était prête.

— Tina ? Si je ne rentre pas ce soir, tu sauras pourquoi.

— L'idéal, ce serait qu'on ne te revoie pas avant lundi matin, au boulot ! s'écria joyeusement la jeune femme. Paquita et moi, on veut un rapport complet, d'accord ?

Tina ne renonçait jamais à une plaisanterie avant de l'avoir usée jusqu'à la corde.

— Tu es une vraie copine, lui dit Martha avec un sourire las. A plus tard.

Une Passat bleu sombre stationnait, moteur tournant au ralenti, juste devant l'immeuble. Avant que Martha l'eût rejointe, l'homme qui avait été son mari, qui était *toujours* son mari, sortit et vint lui ouvrir la portière. Elle eut le sentiment que c'était un geste habituel chez lui, qu'il l'avait fait des milliers de fois auparavant.

Comment était-il possible qu'elle n'eût aucun souvenir d'une vie avec lui et avec leur fils ?

Evitant son regard — elle ne voulait voir ni sa détresse ni sa joie —, elle se glissa dans le véhicule.

Ils roulèrent en silence jusqu'à la rocade.

— Tu… Vous avez faim ? demanda Grady. On peut s'arrêter pour manger un morceau, si vous voulez.

— Tu adorais les oignons grillés de chez Buddy ! lança Brett de sa voix fraîche.

— C'est gentil, mais j'ai dîné en rentrant du travail.

La voiture poursuivit son chemin.

— Comment est-ce que tu as choisi ton nom ? demanda Brett. Je veux dire : le nom de Martha…

Elle lui jeta un coup d'œil par-dessus son épaule.

50

— Eh bien, quand on m'a emmenée au Foyer, je ne savais pas qui j'étais ni d'où je venais. J'étais encore convalescente, et je n'avais rien d'autre à faire que regarder la télévision. Les autres pensionnaires avaient l'habitude de suivre une émission présentée par une femme qui s'appelait Martha. Il me fallait un nom : celui-là m'a plu. Ensuite, il y a eu un débat avec une journaliste qui s'appelait Walters. Alors, j'ai décidé que je serais Martha Walters.

— Tu as entendu ça, papa ? demanda le garçon en tapotant l'épaule de son père.

— Ouais.

Tous deux semblaient trouver une saveur inattendue à l'anecdote. Un peu déconcertée, la jeune femme demanda :

— J'ai dit quelque chose de drôle ?

— Ce sont deux programmes que tu n'aimais pas du tout, avant.

— Je ne les aime pas plus aujourd'hui.

Ils éclatèrent de rire, et elle ne put s'empêcher de les imiter. Ce moment de plaisir tout simple la prit totalement par surprise, mais il passa aussi vite qu'il était venu, et le silence retomba.

— Vous vous souvenez de la date de votre arrivée au Foyer ?

— Oui, c'était le 27 août.

Du coin de l'œil, Martha vit les mains solides de son mari se resserrer sur le volant. Il portait une alliance en or. L'avait-il toujours portée, ou venait-il de la remettre ce soir, avant de se rendre chez elle ? Elle frissonna, mal à l'aise.

Brett se pencha en avant.

— Et, avant le Foyer, tu étais chez les Indiens ? Comment les as-tu rencontrés ?

— Ce sont plutôt eux qui m'ont trouvée.

— Qu'est-ce qui s'est passé ? Raconte !

— Tout ce dont je me souviens, c'est de m'être réveillée dans un lit d'hôpital avec un mal de tête épouvantable. Une femme, une Indienne appelée Maureen Benn, était assise près de mon lit. Elle m'a expliqué que son mari Joseph et elle m'avaient trouvée en train de tituber dans un coin perdu de la réserve, sans papiers, sans vêtements, sans rien…

— Seigneur ! souffla Grady.

Elle vit son regard se poser sur ses mains, qu'elle gardait serrées sur ses genoux. Sur la photo d'elle qu'elle ait vue dans l'album, elle portait une alliance et un diamant. Maintenant, elle voyait clairement à son doigt la trace de deux bagues, mais elles avaient disparu… Troublée, elle reprit :

— Maureen m'a expliqué que l'arrière de ma tête saignait comme si j'avais reçu un coup violent. Ils m'ont enroulée dans une couverture, portée jusqu'à leur pick-up et emmenée droit à l'hôpital. Ils sont restés près de moi toute la nuit. Quand le médecin a compris que je ne me souvenais de rien, il m'a conseillé de voir un spécialiste à Las Vegas, dès que je serais suffisamment remise pour faire le voyage. Mais Las Vegas, ça ne me disait rien, et puis je n'avais pas d'argent. Les Benn m'ont ramenée chez eux ; ils ont pris soin de moi pendant plusieurs jours, jusqu'à ce que je puisse marcher sans aide. Ensuite, ils m'ont emmenée au Foyer des Femmes, à Las Vegas, pour que l'on m'aide à découvrir qui j'étais.

Le souvenir de leur gentillesse lui fit monter les larmes aux yeux. D'une voix tremblante, elle acheva :

— Sans eux, je crois bien que je serais morte.

Le regard de son mari revint se poser sur elle.

— Tu te souviens d'où vous veniez en arrivant à Las Vegas ?

Son tutoiement fit monter en elle une vague de chaleur, et elle se demanda s'il s'en était rendu compte.

— Non, répondit-elle, mais je sais qu'ils habitent un endroit appelé Nopa, ou Popa. Quelque chose comme ça.

— Moapa ?

Elle baissa la tête. Tout était si vague, déjà !

— C'est peut-être ça.

— C'est un petit bourg de la Réserve Paiute, à quatre-vingts kilomètres environ. Un jour, on ira là-bas pour les remercier.

— J'espérais les retrouver un jour, pour leur dire…

— Qui est-ce qui a bien pu te faire ça, maman ?

Maman…

Que répondre à cela ? Sa voix ne lui appartenait plus. Trop d'émotions se bousculaient en elle. Plus rien ne semblait réel : ni sa vie actuelle, ni celle dans laquelle ces deux inconnus cherchaient à l'entraîner. Cela ressemblait à un mauvais rêve, un rêve qui ne finissait jamais. Elle ferma les yeux, épuisée.

— Brett, je crois qu'il vaut mieux arrêter les questions pour ce soir. Ta mère est aussi fatiguée que toi. La journée a été rude. Et, de toute façon, nous sommes arrivés.

Martha ouvrit les yeux. La voiture s'engageait dans l'allée d'une belle maison moderne qui brillait doucement au clair de lune. Le jardin ombragé semblait très agréable.

Son mari ouvrit la porte du garage à l'aide d'une commande à distance. Une fois à l'intérieur, elle remarqua que la voiture occupait à peine la moitié de l'espace. Malgré elle, elle demanda :

— Est-ce que je conduisais, avant ?

— Oui, répondit Grady en coupant le moteur.

— J'avais ma propre voiture ?

Il hocha la tête sans répondre, mais Brett montra moins de réticence que lui.

— Tu avais une Jaguar verte, expliqua-t-il. Quelquefois, on allait au cimetière, et tu me laissais conduire, pour que je sois déjà prêt à passer le permis.

— Je ne savais pas que vous faisiez ça, murmura son père, surpris. Tu dois attendre encore trois ans.

— Maman disait qu'avec tous les chauffards sur les routes, il n'est jamais trop tôt pour apprendre à conduire. Tous mes copains auraient voulu une maman comme la mienne !

— Oui, eh bien, si on entrait à la maison ?

Une fois de plus, Grady sauta à terre et vint ouvrir la portière côté passager. Visiblement, il souhaitait couper court à la discussion.

Le fait d'évoquer la voiture de sa femme lui était-il pénible ? Sa disparition était-elle liée à un accident de la route ? Elle commençait seulement à mesurer quel enfer Grady et son fils traversaient depuis six mois.

Si cet homme et elle s'aimaient au moment de sa disparition, comment avait-il fait pour continuer à vivre au quotidien ? Si les rôles avaient été inversés… Non, elle refusait même d'imaginer une horreur pareille.

« Tu t'appelles Susan, se dit-elle soudain. Susan Nilson Corbett. Mme Grady Corbett. »

— M'man ? Tu veux boire quelque chose ?

Le living était une pièce magnifique meublée avec beaucoup de charme ; une énorme plante verte, presque un arbre, trônait près de la porte d'entrée.

La jeune femme eut à peine le temps de jeter un coup d'œil admiratif à la ronde : son mari et son fils l'entraînaient déjà dans une pièce plus petite, plus douillette aussi, avec sa cheminée et son store de bois à l'ancienne. Un petit salon, sans doute, puisqu'il y avait un canapé, une chaîne stéréo et une bibliothèque.

Elle se laissa tomber sur le canapé, et contempla les étagères bourrées de livres. Combien de ces ouvrages avait-elle lus ?

Son regard s'arrêta sur une très belle aquarelle représentant un phare. Les murs gris clair et les huisseries blanches créaient une ambiance fraîche et propre. Si Brett et son père s'occupaient seuls du ménage, elle leur tirait son chapeau. Le plancher de bois luisait littéralement !

Cette maison reflétait-elle son propre goût ou celui de son mari ? Elle la trouvait très belle, mais elle ne lui rappelait aucun souvenir. Comment croire que sa place était ici, auprès de Grady et de Brett Corbett ? Elle avait un peu l'impression d'assister à une pièce de théâtre. De son fauteuil, spectatrice fascinée, elle regardait l'homme et le garçon jouer leur rôle, mais elle ne pouvait pas participer... en tout cas, pas comme ils l'auraient souhaité.

Pour la première fois, elle eut un mouvement de révolte. Pourquoi était-elle venue ? Cette situation était intenable ! Elle se sentait coupable de ne pas leur donner ce qu'ils espéraient, tout en redoutant de les voir perdre patience.

Non, c'était trop difficile. Plutôt que de devoir endurer le regard de cet homme trop grand, trop séduisant, qui l'avait connue de la façon la plus intime pendant treize années au moins... eh bien, elle aurait préféré qu'on ne la retrouvât pas.

Elle avait envie de retourner dans son appartement trop petit, de retrouver ses copines, son travail, son petit univers simple et familier.

— Tiens, maman.

Brett revenait vers elle avec un grand verre de soda.

Pour l'amour du ciel, qu'il arrête de l'appeler *maman* ! Chaque fois qu'il prononçait ce mot, il aggravait sa culpabilité. Le pauvre garçon suppliait sa mère de l'aimer, cette mère qu'il croyait retrouver en elle… Elle avala une longue gorgée de boisson fraîche.

Comment lui dire que la mère qu'il adorait ne reviendrait sans doute jamais ?

A l'hôpital, puis au Foyer, on avait examiné sa blessure à la tête. D'après les médecins, il était impossible de savoir comment son état évoluerait.

— Si vous avez des questions qui ne peuvent pas attendre demain, posez-les tout de suite, proposa Grady. Sinon, nous allons vous montrer la chambre d'amis, dès que vous aurez terminé votre verre. Vous avez l'air épuisée…

— Oui, j'aimerais bien dormir.

Quelle gentillesse, quelle prévenance il montrait ! La jeune femme sentait son irritation faire place à un sentiment de reconnaissance. Elle termina son soda et se leva.

L'air triste et déçu, Brett vint reprendre son verre. Sa petite anecdote au sujet de leurs leçons de conduite l'avait touchée ; ils devaient être très proches, tous les deux ; ils devaient tout se dire, tout partager. Et maintenant, le pauvre gamin se sentait rejeté…

Il sortit en leur souhaitant bonne nuit, et elle se demanda si, en grandissant, Brett deviendrait aussi solide et musclé que son père.

— Par ici, murmura Grady en lui tendant la main.

Ils quittèrent le salon, et retrouvèrent le grand living, La jeune femme s'immobilisa au pied de l'escalier pour demander :

— Depuis combien de temps vivons-nous ici ?

— Dans cette maison ? Onze ans.

— Comment nous sommes-nous rencontrés ?

— C'était en Californie. J'étais parti là-bas avec des amis pendant les vacances de Pâques. Vous…

Il s'interrompit et reprit d'une voix très différente :

— Toi, tu jouais au volley sur la plage avec une bande de copains. Je t'ai vue, et je suis tout de suite venu demander si je pouvais jouer dans votre équipe. Tu m'as regardé droit dans les yeux, et tu as dit oui. Dès cet instant, on est devenus inséparables.

Sa voix grave, un peu rauque, émut Martha. Les sourcils froncés, elle se concentrait, à l'affût du moindre frémissement de souvenir.

— Quel âge a Brett ? demanda-t-elle.

— Il vient d'avoir treize ans. Nous sommes mariés depuis dix-sept ans, ajouta-t-il en anticipant sa question suivante.

Dix-sept ans ! Et elle ne se souvenait de rien ? Elle avait encore des milliers de questions à poser, mais c'était trop pour un seul soir : elle ne pouvait plus rien assimiler.

Tout à coup, elle mourait d'envie d'être seule. Elle se détourna, et se mit à monter l'escalier.

— La chambre d'amis, c'est la première porte à gauche, dit Grady derrière elle. Il y a une salle de bains attenante. Je vais t'apporter... vous apporter une chemise de nuit et une robe de chambre.

Elle imaginait sans peine l'état de détresse dans lequel il devait se trouver. Sans doute s'interdisait-il de la prendre dans ses bras ? A sa place, elle aurait eu le cœur brisé. L'attitude de cet homme en disait long sur sa personnalité. Elle n'avait pas épousé un homme ordinaire.

Seule dans la chambre d'amis, en attendant qu'il revînt, elle contempla le dessus-de-lit fleuri, les murs crème et la moquette caramel. Cette maison était un vrai paradis.

— M'man ?

Elle se retourna d'un bond, et contempla, interdite, Brett qui entrait comme chez lui — il était chez lui, bien sûr : il croyait entrer dans la chambre de sa mère !

Il posa l'album photo sur la table, et se dirigea vers elle.

A bout de nerfs après cette soirée trop tendue, elle dut cacher une flambée d'irritation. Fallait-il qu'ils la suivent partout ? Ne pouvaient-ils pas la laisser respirer un peu ?

— Papa m'a demandé de t'apporter ça.

Il déposa sur le lit une chemise de nuit à fines bretelles et un peignoir en éponge blanc.

— Merci.

Après un silence crispé, il murmura :

— Je peux faire autre chose pour toi avant que tu te couches ?

— Non, mais c'est très gentil. Je te remercie.

— Bon, alors… à demain matin.

Martha-Susan hocha la tête, et accompagna le gamin à la porte. Dès qu'il fut sorti, elle poussa un gros soupir de soulagement.

Enfin seule, pour un petit moment, au moins ! A bout de résistance, elle se précipita dans la salle de bains pour se changer. Quelle sensation étrange d'enfiler une chemise de nuit qu'elle avait déjà portée dans une sorte de vie antérieure ! L'étoffe dégageait un léger parfum de lessive.

Tandis qu'elle accrochait sa robe dans la penderie, on frappa doucement à la porte.

— Susan ?

Le répit n'avait duré que peu de temps. C'était le signal du round suivant.

Susan, c'était son nom. Combien de temps lui faudrait-il pour s'y habituer ?

— Oui, une petite minute !

Resserrant la ceinture de son peignoir, elle se hâta vers le lit, puis se glissa entre les draps et tira les couvertures jusqu'à son menton. Alors, seulement, elle le pria d'entrer.

Il referma la porte derrière lui.

Sa présence était intimidante, et elle sentit les battements de son cœur s'accélérer en le regardant s'approcher.

— Si vous n'êtes pas trop fatiguée, il y a juste quelques points sur lesquels je voudrais attirer votre attention avant de vous laisser dormir.

— D'accord.

Tandis qu'il prenait une chaise, la retournait et s'y installait à califourchon, les pans de son veston s'écartèrent, et la jeune femme vit qu'il portait une arme en bandoulière. Tout à coup, elle eut l'impression qu'il allait lui faire subir un interrogatoire.

La regardant sans émotion apparente, il lui dit :

— A partir de maintenant, je vais vous tutoyer. Vous n'êtes pas obligée de faire la même chose, mais je pense que cela vous… remettrait plus facilement dans le contexte. Je suis détective dans la brigade des bombes et incendies volontaires, depuis près de dix ans. J'ai arrêté un certain nombre de criminels qui passeront le reste de leur vie en prison. Dans ma branche, on se fait des ennemis : ce n'est pas un secret. Maintenant que je sais que tu n'es pas morte dans cette explosion, je commence à me demander si quelqu'un n'a pas embauché un truand pour se venger de moi.

— Quelle idée effroyable !

Comment avait-elle pu vivre avec cette crainte, autrefois ?

— Ce sont des choses qui arrivent, dit-il en se passant la main dans les cheveux. Si ma version est la bonne, ils pensent avoir réussi à se débarrasser de toi. Et si l'explosion n'était pas une vengeance dirigée contre moi, c'est à toi qu'on en voulait.

Martha frémit malgré elle. Elle avait donc des ennemis ?

— Pour toutes ces raisons, personne ne doit savoir que tu es vivante avant que je n'aie découvert ce qui s'est passé. Pour l'instant, tu es en sécurité, ici, mais je vais très vite être obligé de vous envoyer quelque part, toi et Brett, pour vous écarter du danger.

Elle secoua la tête, incrédule.

— Je ne comprends pas pourquoi on voudrait me tuer.

— Tu en savais peut-être trop sur quelqu'un ?

— Qu'est-ce que j'aurais pu savoir ?

Elle vit qu'il réfléchissait à ce qu'il devait lui répondre.

— Tu étais comptable, dit-il enfin. Une comptable très qualifiée. Tu t'es servie de tes connaissances pour aider gratuitement différentes associations et œuvres caritatives, et puis, il y a treize mois environ, tu as pris un poste dans une branche du Lytie Group, la grande firme comptable, ici, à Las Vegas.

Comptable, elle ?

La plupart des mères qui reprennent un travail le font plus tôt : elle avait attendu que son fils eût douze ans… Et pourquoi avait-elle subitement voulu retravailler ? La famille ne semblait pas avoir besoin de revenus supplémentaires. Alors, commençait-elle à s'ennuyer chez elle ?…

— Tu as d'abord remplacé un comptable qui avait trouvé la mort dans un accident de la route. Il travaillait pour deux clients…

Grady s'interrompit un instant, puis demanda :

— Drummond, ça te dit quelque chose ?

— Non, rien.

— Tu n'as aucun souvenir d'avoir entendu ce nom à L'Etoile ?

Elle secoua la tête, et il consentit enfin à s'expliquer.

— Johnny Drummond possède 62 % de cet hôtel, et aussi une part importante d'un autre établissement à Reno.

— Je l'ignorais.

Il l'étudia un instant.

— Pourquoi t'es-tu adressée à L'Etoile pour trouver un emploi ? Crois-tu que le nom t'ait dit quelque chose parce que tu travaillais pour leur compte avant l'accident ?

Tristement, elle répondit :

— J'aimerais pouvoir dire oui, mais je crois bien que c'était une pure coïncidence.

Son mari ne répondit rien, mais son beau visage se durcit, et elle devina son désespoir.

Si seulement il voulait bien quitter la chambre, et lui laisser le temps de se ressaisir un peu…

4.

— Dis-moi exactement comment tu as trouvé ton emploi là-bas.

L'interrogatoire n'était pas terminé. C'était donc ça, être mariée à un policier ? Physiquement et émotionnellement à bout de forces, elle noua les bras autour de ses genoux, et fit un effort pour rassembler ses idées.

— L'une des responsables du Foyer, Colleen Wright... elle aide les pensionnaires à trouver des emplois. Elle m'a appelée dans son bureau pour me dire qu'à L'Etoile, on cherchait des femmes de chambre. Elle m'a proposé de prendre rendez-vous pour moi en promettant d'expliquer ma situation à la personne chargée du recrutement. J'ai dit oui. Ça tombait à pic : je savais bien que je ne pouvais pas rester au Foyer.

D'un geste nerveux, en contraste avec l'immobilité qu'il observait depuis le début de la discussion, il plongea la main dans ses cheveux.

— J'ai l'impression qu'ils ont été très bien avec toi.

— Si vous saviez !

— J'ai déjà envoyé des femmes battues dans ce Foyer. C'est rassurant de savoir que le système fonctionne aussi bien.

Baissant la voix, il murmura :

— La liste des gens qui ont pris soin de ma femme s'allonge...

Un instant, elle ne voyait que le détective ; l'instant d'après, le mari lui apparaissait. Dans un rôle comme dans l'autre, elle sentait sa volonté de protéger ceux qui dépendaient de lui. Elle aussi voyait une liste s'allonger : celle de ses qualités.

— Pour en revenir un instant à ta place de comptable, tu travaillais aussi pour un autre client : les feux d'artifice LeBaron. Est-ce que ça te dit quelque chose ?

— Non, murmura-t-elle.

— L'entreprise expédiait des feux d'artifice dans tous le pays. L'usine était située dans le désert, à l'extérieur de la ville. Geoffrey LeBaron, le propriétaire, était sous le coup d'un contrôle fiscal. On n'est jamais très à l'aise dans ces moments-là, mais, d'après ce que tu disais, il montrait une anxiété tout à fait démesurée. Brett et moi, on t'a entendue plusieurs fois parler avec lui au téléphone : tu tentais de le rassurer en lui répétant que tout semblait en ordre et qu'il ne devait pas s'inquiéter.

« Le samedi 20 août au matin, tu es allée à l'usine en voiture pour te rendre à une réunion de travail avec lui. Il avait proposé cette rencontre parce que la fabrique était fermée ce jour-là, et que vous pourriez faire le point sans être dérangés. On a pris notre petit déjeuner ensemble, avant ton départ ; tu m'as dit que tu comptais revoir les questions qui l'inquiétaient le plus et lui prouver que les services fiscaux ne découvriraient rien d'anormal dans vos comptes. Tu riais de lui en le traitant de parano.

« Je t'ai accompagnée dans le garage, et je t'ai embrassée. Tu as promis de m'appeler plus tard pour me dire comment ça s'était passé…

Martha-Susan savait ce qui allait suivre. Elle baissa les yeux pour ne pas voir le visage de Grady pendant qu'il continuait son récit.

— Un peu plus tard dans la matinée, il y a eu une explosion. On l'a sentie dans tous les quartiers de la ville. Moi, j'ai cru

63

qu'un avion de la base aéronavale de Nellis franchissait le mur du son. A 8 h 10, les standards de la police et des pompiers ont reçu les premiers appels. Je quittais la maison quand le commissariat central m'a contacté pour me dire que l'usine LeBaron venait d'exploser. Je devais aller là-bas tout de suite et ouvrir une enquête.

Elle poussa une plainte inarticulée.

— Par chance, Brett était chez Mike : il avait passé la nuit là-bas. Il n'a rien su de ce qui s'était passé avant la fin de la journée, quand j'ai pu prendre le temps de le lui expliquer.

Incapable de rester en place un instant de plus, Susan rejeta les couvertures et sauta du lit. Son mari était debout, lui aussi. Il était devenu livide en revivant ces événements. Quelle agonie il avait dû endurer, ce jour-là !

— Il y avait un champignon de fumée dans le ciel. Quand je suis arrivé, il ne restait rien qu'un énorme monceau de gravats fumants.

Torturée pour lui, elle se tourna d'un côté, de l'autre, comme si elle cherchait à s'enfuir.

— L'équipe a commencé à déblayer. On a découvert dans les débris des morceaux de vos deux voitures — la tienne et celle de LeBaron. En revanche, ils n'ont trouvé aucune trace de vos corps ou de ceux des dobermans qui gardaient habituellement l'usine.

Elle aurait aimé se boucher les oreilles. Tout en écoutant ces révélations successives, chacune pire que la précédente, elle ne pouvait s'empêcher de se mettre à la place de Grady. Comment Brett et lui avaient-ils survécu ?

— On a d'abord supposé que c'était un accident, mais, même au début, j'ai eu des doutes. Le fait qu'il n'y ait pas de corps... En tout cas, les examens du labo ont révélé que quelqu'un avait posé deux bombes sur les lieux : la première dans les ateliers, où beaucoup de fusées lumineuses étaient entreposées, et l'autre dans le bureau de la direction, sans doute fixée sous la table de l'ordinateur où vous étiez supposés travailler tous les deux. Cela pouvait expliquer que vous ayez été littéralement pulvérisés.

Elle vit sa main se tendre à l'aveuglette, s'agripper au dossier de sa chaise…

— J'ai donné au FBI tous les dossiers et les disquettes en rapport avec l'entreprise LeBaron : ceux que tu gardais ici, dans ton bureau. Ils ont tout examiné avec soin, mais eux non plus n'ont rien trouvé de compromettant. Leur rapport a validé ton opinion : LeBaron n'avait aucun souci à se faire concernant le fisc. Les collègues de ma brigade en ont conclu que sa paranoïa l'avait poussé à vous tuer tous les deux en sabotant sa propre usine plutôt que d'affronter un examen fiscal.

— Cette explication ne m'a jamais satisfait — mais c'était ma femme qui était morte dans l'explosion, et chacun s'entendait pour dire que je manquais forcément d'objectivité.

Relevant la tête, il plongea son regard dans le sien, et ajouta :

— Rien ne collait dans cette histoire. Je n'arrivais même pas à croire que tu étais vraiment morte. D'ailleurs, quand tu es sortie de ton appartement, tout à l'heure…

Il y eut un silence chargé d'émotion… puis il reprit, en retrouvant tout à coup son ton professionnel :

— Tu es en vie, donc tu ne te trouvais pas sur le site de l'explosion. Maintenant, l'affaire se présente sous un jour différent. De toute évidence, quelqu'un a voulu faire croire que vous étiez morts tous les deux. Mais LeBaron est peut-être quelque part, bien vivant, en train de se féliciter d'avoir commis le crime parfait.

Martha se concentrait de toutes ses forces pour tenter de comprendre ce qu'il lui disait. C'était extrêmement confus. Ce LeBaron était-il une victime ou un assassin ?

Sans paraître s'apercevoir qu'elle perdait pied, Grady poursuivait son raisonnement :

— Même s'il n'avait pas lui-même une grande connaissance des explosifs, il pouvait facilement trouver dans son personnel des gens capables de faire sauter l'usine. Par la suite, un expert a déclaré que les corps avaient probablement été totalement détruits dans l'explosion… Si LeBaron n'est pas le coupable, la personne qui a conçu ce plan s'est montrée très habile.

— Comment ça ?

— Avant de placer les charges explosives, il a fallu tuer ou droguer les chiens. Tu sais, quel que soit le soin qu'on apporte à un plan, il reste toujours des impondérables. Le meilleur expert du monde ne pouvait pas certifier que l'explosion vous tuerait. Il suffisait que vous vous éloigniez tous les deux au moment crucial… Il y a toujours une possibilité d'erreur. Apparemment, ce criminel n'a voulu prendre aucun risque. Il a laissé vos voitures sur place. Bien sûr, les pompiers croiraient que vous étiez à l'intérieur au moment où tout a sauté. Ensuite, il vous a emmenés tous les deux dans le désert pour vous tuer. LeBaron a peut-être eu moins de chance que toi…

Accablée, Martha leva les yeux vers Grady, et vit que son regard s'était assombri ; on ne distinguait presque plus l'iris noisette. Un instant plus tard, son visage rigide s'adoucit un peu, et il ajouta d'un ton plus léger :

— Au fond, on ne sait rien. Il est même concevable qu'un agresseur t'ait suivie jusqu'à l'usine et t'ait enlevée au moment où tu descendais de ta voiture. En admettant que LeBaron se soit trouvé dans son bureau, il n'aurait rien vu, rien su.

C'était à la fois glaçant et fascinant d'assister à l'élaboration de son raisonnement.

— Ton agresseur peut aussi être un pervers qui a voulu te violer…

— Je... Je n'ai pas été violée, bredouilla-t-elle, gênée. J'ai été examinée par un médecin, et... à part le coup sur la tête, il n'y avait rien.

Elle vit la poitrine de Grady se soulever convulsivement.

— Merci, mon Dieu ! murmura-t-il. Voilà qui élimine une possibilité. Finalement, tout nous renvoie aux comptes de Drummond, sur lesquels tu travaillais à cette époque. Mais, contrairement à la première victime, tu n'es pas morte.

— Quelle première victime ?

— David Beck, le comptable que tu as remplacé chez Lytie. Je ne suis pas du tout convaincu par la thèse de l'accident qui lui aurait coûté la vie. Il travaillait sur ces comptes avant qu'on ne te les confie ; s'il a trouvé quelque chose de louche, s'il a commencé à poser des questions, le coupable a très bien pu se débarrasser de lui. Ensuite, quand on t'a chargée de reprendre le travail où Beck l'avait laissé, tu as été la cible suivante.

Cette théorie tenait debout, Martha était bien obligée de l'admettre.

— Est-ce que je t'ai parlé de mes incertitudes ? Est-ce que je t'ai dit que je trouvais certains éléments douteux ?

— Non. Tu n'as jamais parlé de ces dossiers avec moi.

— Ah, pourquoi ?

— J'avoue que ça ne te ressemblait pas.

Sa voix avait changé. Elle voulut savoir pourquoi.

— Je ne devrais peut-être pas te poser cette question, mais si nous ne sommes pas absolument francs, nous n'en sortirons jamais.

— Je suis d'accord.

— Pourquoi est-ce que j'ai décidé de retravailler ? J'ai du mal à croire que nous ayons eu besoin d'argent.

Il ne sourit pas. Son regard se fit encore plus perçant.

— Nous n'avions pas besoin d'argent. Avec mon salaire et les investissements que nous avions faits, à l'époque où la maison de mes grands-parents avait été vendue, nous n'avions aucun souci financier.

— Quelque chose me dit que tu n'as pas apprécié ma décision de travailler.

— Tu te trompes : ça ne m'a jamais posé de problème. Au contraire : je me réjouissais à l'idée que tu y trouves du plaisir.

— Mais alors…

Il la contempla un long moment sans rien dire, puis il lui expliqua d'une voix parfaitement neutre :

— Un matin, au petit déjeuner, tu nous as annoncé que tu avais déjà postulé pour une place dans le Lytie Group, et que tu avais une réponse favorable. C'était la première fois que j'en entendais parler.

— C'était une surprise totale ?

— Oui.

— C'était une habitude chez moi de vous mettre devant le fait accompli plutôt que de discuter avec vous des décisions à prendre ?

Elle vit parfaitement qu'il se crispait.

— Non. C'était la première fois. Plus tard, Brett m'a dit que tu en avais parlé avec lui.

— Ça a dû vous faire beaucoup de peine…

— Tu ne cherchais pas à me blesser, dit-il. Jamais tu n'aurais fait du mal à qui que ce soit de façon délibérée : ce n'était pas dans ta nature. D'après ce que tu as dit à Brett, tu voulais seulement t'assurer que tu étais capable de gagner correctement ta vie, au cas où il m'arriverait quelque chose. Tu lui as bien expliqué que tu ferais le plus gros de ton travail à la maison et que, si tu devais aller au bureau, ce serait seulement pendant qu'il était à l'école.

Elle détourna les yeux.

— Ma décision a-t-elle affecté… je veux dire, est-ce que nous étions… ?

Il trouva les mots qu'elle ne pouvait pas dire :

— Aussi proches qu'avant ? Aussi intimes ? Oui. Et même plus que jamais.

Pourtant, il ne lui disait pas tout, elle en était sûre. De quelque manière que ce fût, elle l'avait blessé très profondément.

— J'aimerais pouvoir t'expliquer mes raisons, chuchota-t-elle, mais je ne me souviens de rien.

— Ne t'inquiète pas : nous avons le temps. Je suis si heureux que tu sois en vie ! C'est tout ce qui compte pour moi. La personne qui a tenté de te tuer n'en a plus pour longtemps, tu peux me croire !

Ce serment avait quelque chose d'impitoyable. Grady était un policier, chargé de retrouver des criminels endurcis et de les arrêter. Martha frémit en comprenant qu'il était prêt à courir de graves dangers pour elle.

Il dut percevoir sa réaction car sa voix se fit plus distante lorsqu'il expliqua :

— Je suis désolé de t'avoir imposé toutes ces explications dès ce soir, mais il fallait que tu comprennes à quel point la situation est compliquée, et aussi dangereuse.

— J'en suis convaincue.

— Alors, nous reparlerons de tout ça demain matin. Essaie de dormir, maintenant.

Il remit la chaise à sa place, et se dirigea vers la porte.

— Attends !

Il se retourna vers elle.

— Je ne t'ai pas encore remercié. Je ne sais même pas par où commencer. J'ai encore l'impression d'être dans un rêve : rien de tout cela ne me paraît réel. Je t'en prie, pardonne-moi !

— Il n'y a rien à pardonner. Je ne vois pas ce que je pourrais te reprocher. Tu sors d'un véritable cauchemar.

— Toi aussi.

— Moi, je n'ai pas perdu la mémoire. Ça doit être terrifiant… Il a dû te falloir énormément de courage pour prendre un travail, trouver un logement, te faire de nouveaux amis.

— Pas tant que ça. J'ai juste fait ce qu'il fallait pour survivre. Et on m'a beaucoup aidée.

— Susan ? Je… je ne peux pas t'appeler autrement, après dix-sept ans.

— C'est bien. Ça m'aidera à m'habituer.

— Alors, appelle-moi Grady. J'ai besoin de l'entendre.

Oh, oui, elle comprenait ce qu'il ressentait…

— Susan, tu penses que tu aurais l'énergie de faire la route jusqu'à la réserve, demain après-midi ?

— Oui.

— Je voudrais rencontrer les Benn, jeter un coup d'œil sur l'endroit où ils t'ont trouvée. Peut-être que, là-bas, quelque chose réveillera tes souvenirs ?

— Oh, je donnerais n'importe quoi…

— Moi aussi, murmura-t-il avec émotion. Alors, c'est entendu pour demain ? C'est samedi : on devrait les trouver chez eux.

— Oui. Je voudrais faire quelque chose de merveilleux pour les remercier, mais je ne sais pas s'ils accepteront…

— Pour commencer, on pourrait déjà leur apporter un panier de fruits.

— Et des fleurs ?

— Bonne idée. Une fois sur place, on se rendra mieux compte de ce qui peut leur rendre réellement service.

— Ils m'ont sauvé la vie. On ne pourra jamais en faire assez pour eux.

Elle se mordit la lèvre, puis osa demander :

— Est-ce que j'ai de l'argent… à moi ?

— Oui. L'argent que tu gagnais était déposé sur un compte d'épargne. Il est à toi : tu peux en faire ce que tu veux. Et si tu n'as pas assez pour faire aux Benn le cadeau auquel tu penses, sache que je peux financer ton projet sans qu'on touche à tes économies.

Son mari était un homme fier. S'était-il senti humilié quand elle avait décidé de reprendre un emploi sans lui demander son avis ? Etait-ce un problème entre eux ? Elle devina qu'elle ignorait encore beaucoup de choses…

— Merci, Grady, murmura-t-elle.

— Tu m'as déjà remercié.

— Les mots ne suffisent pas.

— Non. Cette maison est ton foyer ; c'est toi qui as tout fait, ici. Personne ne s'est jamais donné autant de mal pour donner une âme à une maison. Aucun fils n'a jamais eu une meilleure mère ; aucun homme une meilleure femme. Tu nous as manqué terriblement.

La tendresse et la nostalgie contenues dans sa voix serrèrent le cœur de la jeune femme. Baissant la tête, elle murmura :

— Je suis désolée d'avoir tout oublié.

Puis, dans un élan de panique subite, elle s'écria :

— Et si ma mémoire ne revient jamais ?

— Nous avons affronté d'autres problèmes.

Elle se redressa, et le regarda avec inquiétude.

— Il y a eu beaucoup de difficultés… à affronter ?

— Quelques-unes.

— Par exemple ?

— Tu t'es retrouvée enceinte très peu de temps après notre mariage. Deux mois avant la date prévue pour la naissance, ton père est mort d'une crise cardiaque. Ç'a été un coup terrible pour toute ta famille, surtout pour ta mère.

71

Elle secoua la tête, lentement, douloureusement. Ces parents dont elle avait tant de fois cherché le visage… l'un des deux était déjà parti ?

— Tu étais encore bouleversée par sa mort quand notre petite fille est née avec un mois d'avance. Elle n'a pas vécu, à cause d'une malformation cardiaque.

— Mon Dieu ! murmura-t-elle, profondément choquée.

Ainsi, ils avaient eu le chagrin de perdre leur enfant ! Lui aussi avait dû beaucoup souffrir.

— Quand je t'ai ramenée de l'hôpital, ta mère est venue passer quelques semaines avec nous. Vous avez réussi à vous réconforter, toutes les deux. Quand elle est retournée chez elle, en Californie, nous avons décidé d'acheter un terrain et de construire cette maison. Nous avons fait beaucoup de choses nous-mêmes : la peinture, le jardin. C'était une sorte de thérapie pour tous les deux. Par la suite, nous avons essayé d'avoir un autre bébé, sans résultat. Ton médecin a pensé que le stress lié aux risques de mon métier t'empêchait de te détendre suffisamment. Alors, j'ai quitté les patrouilles pour devenir détective. Moins de danger, moins de situations violentes — c'était un changement que j'envisageais, de toute façon.

Susan pressa les mains sur ses tempes, et se força à réfléchir.

— Alors… il a fallu encore trois ans avant la naissance de Brett ?

— Oui.

Elle hésita un moment avant de poser la question suivante.

— Et nous avons cherché à avoir d'autres enfants, par la suite ?

— Oui, mais avant que nous ne puissions mettre notre projet à exécution, j'ai récolté une balle dans la peau.

— Quoi ?

— Oh, ce n'était pas très grave, mais tu as mis longtemps à te remettre du choc, et tu n'as plus jamais été enceinte.

— Je suis désolée de ne pas avoir pu te donner d'autres enfants…

— Ne dis pas ça ! s'écria-t-il avec colère. Je ne veux plus entendre ce mot : « désolée ». Nous avons été parfaitement heureux avec Brett. Si nous avions eu d'autres enfants, je les aurais accueillis de tout mon cœur, mais leur absence n'a rien retiré à notre bonheur.

Il défendait leur mariage avec tant de passion qu'elle se demanda s'il cherchait à se convaincre lui-même.

Etait-ce sa propre déception de ne pas avoir d'autres enfants qui les avait séparés ? Etait-ce pour cela qu'elle avait voulu travailler ?

— Parle-moi des relations que tu entretiens avec ma famille, Grady.

Il s'éclaircit la gorge.

— Après l'explosion, Muriel — ta mère s'appelle Muriel — est venue vivre avec nous pendant un mois. Je ne sais pas ce que j'aurais fait sans elle. Et Todd nous a rendu visite trois fois en six mois. Todd, c'est ton frère : vous n'êtes que deux enfants.

— Quel âge a-t-il ?

— Trente-quatre ans : quinze mois de moins que toi. Il est marié à Beverly, et ils ont deux filles ; Lizzy a sept ans et Karin, quatre ans. Ces derniers mois, Brett s'est beaucoup rapproché de son oncle, encore plus qu'avant, comme si sa présence compensait un peu ton absence. Vous vous ressemblez énormément, toi et ton frère ; vous avez les mêmes gestes, la même façon de parler…

Combien de nuits était-elle restée éveillée, ces derniers mois, en se demandant à quoi pouvait ressembler sa vie avant le trou noir ?

C'était bouleversant d'apprendre tant de choses. Maintenant qu'elle avait commencé sa découverte, les questions se bousculaient dans sa tête.

— Et ta famille à toi ?

— J'étais enfant unique. J'ai toujours vécu ici, à Las Vegas. Mes grand-parents m'ont élevé après la mort de mes parents dans un accident de voiture, quand j'étais tout petit. Brett les aurait adorés. Mon grand-père est mort d'un cancer, quand j'étais adolescent, mais tu as connu ma grand-mère. C'était une femme adorable. Quand on a décidé de se marier, j'ai voulu chercher un appartement, mais tu m'as pris à part pour me dire que tu étais d'accord pour vivre avec elle, comme elle l'avait proposé. Et là, j'ai compris que j'étais amoureux d'une femme exceptionnelle.

Nous nous sommes mariés chez elle, pour qu'elle puisse participer à la fête. Une semaine plus tard, nous sommes allés en Californie où tes parents avaient organisé une réception en notre honneur.

En rentrant, tu as repris tes études, et tu as obtenu ta qualification de comptable. Je t'ai encouragée à prendre un poste, mais, sur le moment, tu as préféré rester à la maison pour t'occuper de moi et de ma grand-mère. Tu as fait tant de choses qui m'ont rendu heureux !

Oui, songea-t-elle. Et puis, il y a treize mois, je me suis mise à faire tout le contraire…

— C'est incroyable que j'aie oublié tout ça, murmura-t-elle, pensive. Merci d'avoir répondu à mes questions. Je commence à me situer…

— Je t'en ai probablement trop dit d'un seul coup. C'est moi qui m'excuse, cette fois. Bonne nuit, Susan.

— Bonne nuit.

*
* *

— Papa ?

Grady roula sur le dos. Il venait juste de quitter la chambre de sa femme ; il s'attendait à la visite de son fils. De toute évidence, personne ne dormirait beaucoup, cette nuit.

— Oui, Brett. Ferme la porte et viens près de moi.

Le garçon traversa la pièce à tâtons, et se blottit sur le grand lit. Il y eut un court silence, puis il poussa un énorme soupir.

— Tu sais, le documentaire que j'ai vu ?

— Oui…

— Je n'y ai pas tout à fait cru, sur le moment. Je ne pensais pas que ça existait vraiment, l'amnésie.

Il se mit à pleurer. Grady tendit la main dans la pénombre, et lui serra l'épaule avec tendresse.

— Je sais…

— C'est comme si maman était une inconnue, reprit Brett entre deux sanglots.

Grady continua à lui murmurer des paroles rassurantes, tout en sachant que ça ne servait à rien.

— Quand je lui ai dit bonne nuit, tout à l'heure, elle est restée plantée à la porte comme si elle avait hâte que je m'en aille.

Cette fois, Grady sentit les larmes lui monter aux yeux. Il serra convulsivement son fils dans ses bras.

— Je ne comprenais pas, poursuivit Brett d'une petite voix désespérée, pourquoi le fait d'avoir perdu la mémoire empêchait les soldats et leurs familles d'avoir envie d'être ensemble. Je ne comprenais pas.

Grady le berça sans répondre. Il avait été confronté à bon nombre de drames dans son métier, mais rien ne l'avait préparé à affronter cette situation.

— Si elle ne se souvient jamais de nous, alors je veux qu'elle s'en aille, bredouilla Brett.

Grady n'était pas loin de ressentir la même chose, mais il n'aurait jamais osé le dire. Que répondre à cela ? Il ne put que serrer son fils un peu plus fort contre lui.

Susan aussi pleurait — il l'avait entendue en refermant la porte de sa chambre, tout à l'heure.

Il n'avait cessé de l'appeler Susan, mais cette femme n'était pas Susan. Ce nom ne signifiait rien pour elle. Lui-même, il ne représentait rien pour elle.

— Je peux rester avec toi, ce soir ? demanda Brett d'une voix presque suppliante.

— Oui, reste avec moi, s'il te plaît.

Grady s'allongea. Il avait l'impression que son corps était en plomb, et il dut faire un réel effort pour se tourner sur le côté. Bientôt il s'endormirait, et ce serait terminé pour ce soir.

Enfin un répit ! Ne plus se sentir écartelé entre la joie de la savoir en vie et l'angoisse de la perdre de nouveau...

Il sentit son fils se glisser sous les couvertures.

— Papa ? Je crois qu'il ne faut pas le dire tout de suite à Todd et Mamie. Ça les tuerait.

Tiens ? Brett avait grandi en l'espace de quelques heures... Un instant, Grady se sentit affreusement triste, désolé que l'enfance de son fils se terminât aussi brutalement. Puis il décida de lui dire toute la vérité. Il était en mesure de coopérer, à présent. La famille était en danger, et ils avaient besoin l'un de l'autre.

Il se tourna vers lui, se souleva sur un coude.

— Brett ?

— Oui ?

— Ce que je vais te dire maintenant, tu ne devras le répéter à personne.

Ce fut au tour du garçon de se retourner. Les yeux levés vers son père, il répliqua :

— Si tu veux dire que quelqu'un a essayé de tuer maman, j'ai déjà compris.

Grady secoua la tête, partagé entre la fierté et l'inquiétude.

— Toi, tu es trop intelligent.

— Mais non ! Une semaine après la cérémonie, je t'ai entendu parler au téléphone avec ton collègue Ross. Tu lui disais que tu ne croyais pas que M. LeBaron avait posé ces bombes. Alors, si ce n'était pas lui, c'était quelqu'un d'autre.

Grady laissa sa tête retomber sur l'oreiller.

— Je regrette beaucoup que tu aies entendu cette conversation — et plus encore que tu n'aies pas pu m'en parler. Du coup, tu es resté tout seul avec tes angoisses. Ce n'était pas bien de ma part, Brett. Quand tu as eu besoin de moi, je n'étais pas là.

— Oh, si, papa ! Je sais à quel point tu aimais maman. J'ai pensé que je t'en voulais parce que j'étais en colère, mais, en fait ce n'était pas contre toi.

— Contre qui, alors ?

— Oh, personne. Ou tout le monde. Mais, tu sais, j'étais déjà mal avant la mort de maman.

Susan se trouvait dans la pièce voisine, mais son fils parlait encore d'elle au passé. Dire que, quelques heures plus tôt, sa voix était si forte, si confiante ! *Je suis certain que c'était elle. Viens, on va la chercher.* Une vie entière semblait s'être écoulée, depuis…

Pendant quelques secondes, Grady avait perdu le fil de la conversation. Pourtant, Brett venait de dire quelque chose de très important… Ah oui !

— Pourquoi étais-tu mal, avant ?

— Parce que, quand maman s'est mise à travailler, tout a été… différent. Elle avait promis que ça ne changerait rien, mais ce n'était pas vrai. Vous deux, vous n'étiez plus aussi heureux et, en fin de compte, elle en est morte. Enfin, c'est ce que j'ai pensé, acheva-t-il d'une voix tremblante.

Ainsi, il avait eu conscience de ce qui se passait.

— Tu as raison de dire que c'était différent. Si elle avait envie de travailler, je ne pouvais qu'être content pour elle, mais ça m'a fait de la peine qu'elle ne veuille pas d'abord en parler avec moi. On avait toujours été si proches ; ça ne lui ressemblait pas de me cacher quoi que ce soit. J'ai même commencé à me demander si elle m'aimait encore.

— Tu ne m'avais jamais dit ça…

La voix du garçon se faisait presque accusatrice, et Grady ne pouvait pas lui en vouloir.

— C'est normal, Brett : ce n'était pas à toi de supporter mes angoisses.

— En tout cas, j'ai trouvé ça vraiment nul, cette histoire de pouvoir nous faire vivre au cas où tu ne serais plus là. J'ai cru que la vraie raison, c'était que vous alliez divorcer.

Pour l'amour du ciel !

— Brett, j'aimais ta mère à la folie. Je ne peux pas parler pour elle ni savoir ce qu'elle avait en tête, mais ce que je sais, c'est qu'elle ne m'a jamais parlé de divorce.

Brett poussa un soupir.

— La mère de Merrill Wilson a pris un travail avant de divorcer. Merrill était tellement démoli qu'il ne voulait plus aller ni chez son père, ni chez sa mère : il préférait rester chez sa grand-mère. Du coup, c'était beaucoup plus dur de se voir avec Mike et lui.

— C'est pour ça qu'on le voit de moins en moins ?

— Il nous a fait jurer de ne pas en parler parce qu'il espérait que ses parents allaient se réconcilier, mais, finalement, ils ont divorcé.

Il y eut un long silence, puis il chuchota :

— P'pa ? Qu'est-ce qui va nous arriver à nous, dans notre famille ?

Le souffle court, Grady répondit :

— Eh bien, je peux te dire une chose qu'on ne fera pas.

— C'est quoi ?

— On ne va pas renoncer : on va se battre. Pour commencer, il faut qu'on traite ta mère comme si elle avait une maladie.

— Comme la maladie d'Alzheimer ?

— C'est un très bon exemple.

— Comme le grand-père de Jack Openshaw. La dernière fois qu'on est allés chez lui, il ne nous a pas reconnus. Ni Jack ni moi.

— Ça doit être dur pour Jack, mais, en même temps, ça ne l'empêche pas d'aimer son grand-père. La perte de mémoire de ta mère ne doit pas changer nos sentiments pour elle. Et elle, au moins, elle peut guérir.

— Tu crois ?

— C'est déjà arrivé à d'autres, alors on peut espérer. Dès qu'on y verra plus clair, je prendrai rendez-vous pour elle chez un neurologue. Et si, en fin de compte, ses souvenirs sont partis pour de bon, on trouvera la meilleure façon de faire face au problème. Pour l'instant, elle a besoin de notre amour et de notre protection, et il ne faut rien lui demander en retour. Ce sera ça le plus difficile.

— Je sais. Je me suis senti tellement bête, tout à l'heure, à attendre qu'elle vienne m'embrasser.

— Alors, on est bêtes tous les deux, avoua Grady. Moi, j'espérais qu'elle me demanderait de dormir avec elle.

Il y eut un nouveau silence, plus paisible que les précédents. Puis Brett demanda :

— Papa ? Si celui qui a voulu tuer maman apprend qu'elle est toujours vivante…

— Tu es absolument sûr que Mike ignore pourquoi tu as été malade, ce soir ?

— Sûr et certain !

— Alors, personne ne saura rien. J'ai réfléchi : avec l'aide de Mme Harmon, on peut garder ta mère ici pendant une semaine sans que personne ne le sache.

— Mme Harmon ?

— Oui. On ne peut pas s'en tirer tout seuls, et c'est l'une des rares personnes en qui j'aie confiance, en ce moment. Demain matin, je vais aller chez elle. Elle nous aime bien, tu sais ? Quand elle saura ce qui s'est passé, elle fera tout pour nous aider, et moi, je pourrai commencer mon enquête.

— Qu'est-ce que tu vas faire en premier ?

— Aller à la réserve indienne et parler au couple qui est venu en aide à ta mère. Quand j'aurai tous les éléments, je saurai si, oui ou non, elle va devoir se cacher pendant une longue période.

— Tu veux dire : comme le programme de protection des témoins, quand on leur donne une nouvelle identité ?

— Oui, c'est exactement ça. On n'ira peut-être pas jusque-là : il faut attendre d'avoir quelques réponses. Le plus difficile, pour toi et moi, ce sera d'avoir l'air normal avec tout le monde.

Dans un éclair d'humour totalement inattendu, le garçon marmonna :

— Normal... tu veux dire tristes. Enfin, oui, je comprends, il suffirait d'un mot de travers pour tout gâcher.

— Exactement.

— Mike doit venir demain. Peut-être d'autres copains aussi.

— Appelle-les demain matin : dis-leur qu'on part en vacances en Floride et que tu ne reviendras qu'à la rentrée des classes.

— D'accord. Et toi, pour ton travail ?

— C'est réglé : j'ai pris un congé de deux semaines.

80

— Oh ! Et le boulot de maman à l'hôtel ? Elle ne peut pas retourner là-bas !

Comme il avait l'esprit rapide ! Grady se sentit fier de lui.

— J'ai eu une idée qui devrait tranquilliser son patron et ses colocataires. Je t'en parlerai demain.

Après avoir jeté un coup d'œil au réveil, il marmonna d'une voix lasse :

— C'est déjà demain depuis longtemps…

— Tu es fatigué, papa. Je vais te laisser dormir.

Grady sentit le matelas s'enfoncer, puis se soulever quand son fils se glissa hors du lit.

Sa silhouette mince s'immobilisa un instant à la porte.

— Merci d'avoir bien voulu parler, papa. Je me sens mieux.

— Moi aussi, mon grand.

— Si maman ne se souvient jamais de nous, il faut que tu saches que je t'aime.

Pour la dernière fois de cette longue soirée, les larmes inondèrent le visage de Grady.

— Je t'aime aussi. On va s'en sortir, Brett. D'une façon ou d'une autre, on va s'en sortir tous les trois. En famille.

Il devait absolument s'en convaincre, sinon il n'aurait pas le courage de continuer.

5.

— M'man ? Tu veux que je te montre tes vêtements préférés ?

Susan sursauta. Brett ne cessait d'entrer dans la chambre sans prévenir. La dernière fois, c'était pour l'informer que Grady préparait un petit déjeuner de gala pour fêter son retour à la maison, et qu'on se mettrait à table dans quelques minutes.

Ce garçon était charmant, mais elle aurait préféré qu'il frappe avant d'entrer. Quant à la question qu'il venait de poser, elle révélait bien ses motivations : il voulait la transformer, retrouver la mère qu'il connaissait.

Elle venait de passer la plus grande partie de la nuit à étudier l'album photo, et la femme qu'elle y avait vue presque à chaque page ne portait rien qui ressemblât de près ou de loin à la robe rose de Martha.

Tous ces anniversaires, toutes ces fêtes avec des amis, ces vacances à la montagne ou à la plage… Des douzaines de photos de groupe où elle reconnaissait son mari et son fils, où elle découvrait un homme qui devait être son frère, une femme qui était sûrement sa mère… Ils étaient tous très beaux et semblaient très heureux.

Et Brett, quel garçon adorable ! Le genre de fils dont rêvent toutes les mères. Un jour, il serait un homme merveilleux — un homme comme son père.

Elle sentit revenir la culpabilité en mesurant le contraste qui existait entre le gamin rieur des photos et le garçon grave aux yeux cernés qui se tenait sur le seuil de sa chambre. Tout comme Grady, il s'efforçait de cacher son chagrin, sa confusion…

Elle se sentit bouleversée en se rappelant qu'il l'avait reconnue sans hésitation, sans se laisser tromper par sa nouvelle coiffure, la couleur de ses cheveux et ses vêtements au rabais.

Elle était trop égoïste de ne penser qu'à elle. Elle allait lui tendre la main, elle aussi, et faire quelque chose pour redresser la situation ! L'avenir leur réservait peut-être une nouvelle séparation. Si sa mémoire ne revenait pas, ils ne pourraient sans doute pas continuer à vivre ensemble, tous les trois.

Pourtant, elle avait donné le jour à ce garçon, et il avait besoin de sa mère. Cette réalité transcendait tous les obstacles, même son amnésie. Maintenant qu'il la savait en vie, maintenant qu'elle savait qu'elle avait un fils, elle ferait n'importe quoi pour se retrouver elle-même, et pour le retrouver aussi.

— Bonne idée, dit-elle. Je mettrai ce que tu choisiras.

Elle vit ses yeux s'écarquiller.

— C'est vrai ? s'exclama-t-il.

Il sortit de la chambre en courant presque. Il suffisait d'un mot pour lui redonner le sourire.

Le cœur serré, Susan se dit : « Ça y est, j'ai commencé ! Je prends le chemin du retour. » Excitée tout à coup, elle saisit l'annuaire, et chercha un salon de coiffure. Elle en trouva plusieurs, nota leurs coordonnées sur un morceau de papier, et le glissa dans son sac.

— Tiens !

Brett était revenu avec un pantalon de coton ocre et un haut assorti à manches courtes. Il avait aussi apporté des sandales de cuir dans le même ton et un foulard avec un motif ocre, crème et turquoise.

— Pendant que tu t'habilles, je vais chercher autre chose.

Impressionnée par ce garçon si jeune qui semblait connaître parfaitement ses goûts, elle disparut dans la salle de bains. La robe rose glissa sur le sol et, quelques minutes plus tard, elle eut peine à reconnaître son image dans le miroir.

Les vêtements étaient élégants, féminins. Et pourtant, elle ne les aurait jamais choisis, même si elle avait pu se les offrir. C'était stupéfiant de constater que l'amnésie pouvait affecter même les goûts vestimentaire. Qu'allait-elle encore découvrir avant la fin de cette journée ?

Brett l'attendait devant la porte de la salle de bains. Son silence montra bien qu'elle n'était pas à la hauteur de son attente.

— C'est à cause de la couleur de mes cheveux ? lui demanda-t-elle. Après le petit déjeuner, je demanderai à ton père de m'accompagner chez le coiffeur.

Le visage de Brett s'éclaira.

— Tu vas leur rendre leur vraie couleur ?

— Oui. Je sais bien qu'ils sont plus courts qu'avant, mais ils finiront par pousser.

— Oh, M'man !

Il se jeta sur elle, noua ses bras autour de sa taille. Elle le serra doucement contre elle, et le laissa sangloter.

« Je vous en prie, mon Dieu, pria-t-elle, faites que je me souvienne ! »

Elle entendant un bruit à la porte, elle leva les yeux. Son mari était sur le seuil, en jean et T-shirt bordeaux. Très masculin, extrêmement séduisant. Il les regardait, immobile, et elle eut l'impression qu'il s'imprégnait du tableau qu'ils formaient tous les deux : son fils dans les bras de sa femme.

— Brett m'a dit que tu préparais un repas de roi, dit-elle d'un ton léger, gênée par l'intensité du moment.

Il ouvrit de grands yeux blessés. Effrayée, elle s'écria :

— Quoi ? Qu'est-ce que j'ai dit ?

Son fils l'avait lâchée, et la contemplait avec la même expression que son père.

— Ce n'est rien, dit Grady en secouant la tête.

— Je vois bien que si ! Ne me racontez pas d'histoires !

— C'est juste que… tu disais ça souvent, expliqua Brett.

— Quoi donc ? « Un repas de roi » ?

— Oui. Tu crois que tu viens de te souvenir de quelque chose ?

Elle aurait vendu son âme pour pouvoir répondre oui, mais elle ne voulait pas lui mentir.

— Je suis désolée. Je ne sais pas pourquoi j'ai dit ça.

Apparemment remis de son émotion, son mari la regarda avec franchise.

— Il y aura sûrement beaucoup de moments où tu vas dire ou faire des choses comme l'ancienne Susan, sans raison particulière. Il faudra qu'on s'y habitue.

Brett baissa la tête. Elle réfléchit un instant, puis avança la main pour lui caresser les cheveux.

— Je te promets une chose, dit-elle. Dès qu'un souvenir me reviendra, si petit soit-il, tu seras le premier informé.

Cette proposition fit naître un pâle sourire sur les lèvres de Brett.

— Tiens, m'man. J'avais oublié.

Il lui tendait un bracelet d'or lisse. Emerveillée, elle le glissa à son poignet.

— Je l'adore !

— Ça aussi, tu le disais souvent.

Cette fois, il avait fait la remarque tout simplement, sans émotion particulière.

— C'est toi qui me l'as offert ?

Il approuva de la tête.

— Pour ton anniversaire.

— C'est quand, mon anniversaire ?

— Le 4 juillet.

— Tu plaisantes !

— Non, dit-il avec un large sourire. Pépé t'appelait toujours son petit pétard patriotique.

— Je peux imaginer tous les petits noms qu'on m'a donnés !

— Papa en avait un.

Levant les yeux, elle découvrit une lueur assez coquine dans les yeux de son mari.

— Qu'est-ce que c'était ? demanda-t-elle en riant. La belle bleue ? Fête Nat ?

Il eut un petit rire grave, très masculin, qui fit courir un curieux frisson de bonheur sur la peau de la jeune femme.

— Je vois que j'avais raison…

La sonnette de la porte l'interrompit. Tendu, Brett se retourna vers son père.

— C'est sûrement Mike.

— Tu sais ce que tu dois faire.

Il hocha la tête, et partit en courant. Grady ferma la porte derrière lui, et se tourna vers sa femme.

— On va rester ici jusqu'à ce que Brett nous donne le feu vert.

D'un mouvement nerveux, Susan glissa les mains dans les poches de son pantalon.

— Au fait, que vais-je dire à mon patron ? Je suis censée travailler lundi.

— J'ai déjà parlé à Carlos.

— Qu'est-ce que tu lui as dit ?

— Que ta famille était à ta recherche depuis des mois et que, lorsqu'ils t'ont enfin retrouvée, hier soir, ils étaient fous de joie. Je lui ai expliqué que tu voulais quitter ton emploi et retourner dans l'Oregon avec eux. Il a parfaitement compris. Il a même dit que tu ne devais pas t'inquiéter, qu'il avait des douzaines de postulantes pour ce job. C'est quelqu'un de correct, ce Carlos.

— Oui, il est gentil. Alors, je dirai la même chose à mes copines, pour l'appartement ?

Il approuva de la tête.

— Tu veux faire ça tout de suite, pour te débarrasser de la corvée ?

— Ce serait mieux, oui. Paquita retrouve souvent son copain pour le petit déjeuner, avant qu'on ne parte travailler, et elle est la seule à avoir un portable.

— Tu as signé un bail ?

— Oui. Pour un an.

— Il te reste donc six mois.

Elle hocha la tête.

— Dis à tes amies que tu leur enverras la somme correspondant à ta part de loyer.

— D'accord. Elles ont été gentilles, elles aussi. De vraies amies. Sans elles, je crois que je serais tombée dans une vraie dépression. J'aimerais les revoir, dès que le danger sera écarté.

— Moi aussi. Elles ont aidé ma femme à s'en sortir, et je leur voue une reconnaissance éternelle.

Ma femme. Il avait dit ça d'une façon extraordinaire, à la fois tendre et possessive... Quand elle saisit le combiné, elle s'aperçut que ses mains tremblaient.

Mike avait l'air extrêmement déçu.

— Tu aurais pu me dire que tu partais pour la Floride aujourd'hui...

— Je ne savais pas ! Papa me l'a dit ce matin, en se levant.

— Vous partez quand ?

— Après le petit déjeuner.

— Oh, c'est dur : tu vas rater les éliminatoires pour l'équipe de natation.

— Non, non. Papa a téléphoné : je peux le faire en rentrant.

— Tu pars combien de temps ?

— Jusqu'à dimanche. Pas celui-ci mais le suivant.

— Je parie que ton père ne dirait pas non si tu lui demandais de m'emmener avec vous ! Qu'est-ce que t'en dis ?

— Ah… J'aimerais bien, mais papa pense qu'on devrait être seuls, pour se faire de nouveaux souvenirs. Tu comprends… depuis que maman est morte, on n'est allés nulle part tous les deux. Ça va être cool.

— Ah, ouais. Bon, alors tu m'appelles dès que tu rentres ?

— Bien sûr !

Mike sauta sur son vélo, et prit le chemin du retour. Vingt minutes plus tard, il remontait l'allée somptueuse de sa nouvelle maison.

— Hé, Mike ! lança son père de la porte ouverte du garage. Où est passé Brett ? Je croyais qu'il voulait nous aider à désherber pour gagner un peu d'argent, ce week-end !

— Il n'a pas pu venir.

Il appuya sa bicyclette contre le mur. Il était renfrogné, et son père s'approcha, surpris.

— Il est toujours malade ?

— Non. Il part pour la Floride.

A contrecœur, il attrapa la paire de gants de jardin que Jim lui lançait.

— Tu es sûr ? Quand j'ai invité Grady à dîner, hier soir, il ne m'en a pas parlé.

— Il devait vouloir faire une surprise à Brett. Je vais avoir des vacances complètement nulles.

88

— Ils seront partis jusqu'à la reprise des cours ?

— Oui. Ils vont sûrement faire de la plongée et plein d'autres trucs géniaux.

— Ça alors…

— Quoi ?

— Je n'en reviens pas. Grady était vraiment déprimé ; je ne pensais pas qu'il réussirait à s'en sortir.

— Brett avait l'air tout excité. J'aurais bien aimé partir avec eux, mais il dit que c'est un truc à deux : juste son père et lui.

— Qui va s'occuper de leur jardin pendant leur absence ?

— Je ne sais pas.

— Je suis surpris que Grady ne t'ait pas demandé de venir tondre la pelouse. Il devait avoir autre chose en tête. Je demanderai à ta mère de passer un coup de fil à la dame qui fait leur ménage. Si ça peut rendre service, on fera un saut. Je ne voudrais pas qu'ils retrouvent une jungle en rentrant.

— Génial, marmonna Mike.

Non seulement il allait s'ennuyer pendant toutes les vacances, mais son père l'obligerait probablement à désherber les plates-bandes des Corbett en plus des siennes.

Pour leur premier petit déjeuner ensemble, Grady avait mis le couvert sur la grande table de la salle à manger. Une fois de plus, Susan admira la décoration, surtout le buffet ancien. Brett lui expliqua que les assiettes aux couleurs vives alignées sur les étagères étaient de véritables faïences de Quimper, un cadeau de Noël que lui avait fait Grady.

— Je n'ai jamais mangé un steak avec un œuf dessus, dit-elle en posant sa fourchette. C'était délicieux.

Voyant le père et le fils échanger un regard, elle soupira.

— Non, ne me dites pas… C'était mon plat préféré, c'est ça ?

Grady retint un sourire.

— C'est le plat préféré de toute la famille.

— Qu'est-ce que tu mangeais avec tes copines, m'man ?

— Juste un petit pain avec du café. On prenait notre repas principal à l'hôtel, pendant notre pause, parce que c'était gratuit.

— Tu n'as plus à t'inquiéter de l'argent, lui dit son fils d'un petit air protecteur qui l'enchanta.

Puis il s'écria :

— Ce serait bien si on partait vraiment pour la Floride ce matin.

— Dès que l'agresseur de ta mère sera derrière les barreaux, on fera plein de choses ensemble.

Susan reposa sa tasse de café, et les regarda tous les deux. Elle les trouvait déjà plus heureux, plus animés que la veille. Le premier choc s'émoussait ; ils osaient réapprendre l'optimisme.

Quant à elle, elle se sentait, par moments, tout à fait rassurée, et à d'autres, dévorée d'anxiété. Grady voudrait-il d'un avenir avec une femme qui ne le connaissait plus ? Pour l'instant, il semblait déterminé à marcher auprès d'elle sur le chemin de la guérison, mais on n'en était qu'au deuxième jour. Et s'il changeait d'avis par la suite ?

Mieux valait éviter d'y penser, et se contenter de vivre l'instant présent ! Susan repoussa son assiette, et se replongea dans les albums que Brett avait apportés à table. Pendant tout le repas, ils les avaient feuilletés tous les trois ; le père et le fils en avaient profité pour lui raconter une foule d'anecdotes. Elle qui espérait tant qu'un souvenir finirait par émerger, elle devait s'avouer vaincue — pour l'instant.

90

— Dis donc, papa, quand j'ai dit à Mike qu'on partait en vacances, il a voulu venir.

Grady se redressa sur son siège.

— Qu'est-ce que tu lui as répondu ?

— Que ce voyage était un truc spécial pour qu'on se retrouve un peu tous les deux. Il a eu l'air déçu, alors j'ai dû faire semblant que moi aussi.

— Bien joué ! lança Grady avec un sourire. Tu as appelé tes autres copains ? Ils ne passeront pas ?

— Je vais le faire tout de suite.

Il sauta sur ses pieds, puis se rua vers Susan et la serra dans ses bras. Elle l'embrassa tendrement. Quand elle croisa le regard de Grady, elle y lut une certaine inquiétude.

— Je sais ce que tu penses, lui dit-elle, dès que Brett eut disparu. Je ne lui ferai pas de mal. Je ne fais pas semblant, tu sais ? C'est vrai que je n'ai gardé aucun souvenir de son enfance, mais mon instinct me pousse à l'aimer. Je sens bien qu'il a besoin de moi, et j'espère que, si je l'aime, la mémoire me reviendra plus facilement.

— C'est ce que nous espérons tous…

Il se leva un peu brusquement. Elle referma l'album, et l'aida à débarrasser la table.

— Avant d'aller acheter nos cadeaux pour les Benn, il y a quelque chose que j'aimerais faire…

Elle lui parla de son envie de redonner à ses cheveux leur couleur naturelle.

— Ce serait rassurant pour Brett, et aussi pour les Benn. Ils ne comprendraient pas pourquoi une jeune brune vient les remercier, alors que c'est une blonde qu'ils ont sauvée.

Il scruta son visage un assez long moment.

— Oui, c'est une bonne idée, dit-il enfin. Dans les quartiers nord, on devrait pouvoir trouver un salon où personne ne te connaît. Par précaution, tu te cacheras quand même sur le siège arrière de la voiture.

— D'accord.

Elle alla chercher sa liste de coiffeurs, et la lui tendit.

— Qu'est-ce que tu en penses ?

— Celui-ci, dit-il en désignant le dernier de la liste. Ça risque de prendre un certain temps : il vaut mieux partir tout de suite.

— Je suis prête.

— Je vais fermer tous les volets pour que personne ne puisse voir à l'intérieur.

Il la prit par les épaules, et posa un baiser sur ses lèvres avec autant de naturel que s'ils n'avaient jamais été séparés. Puis il la lâcha brusquement, comme s'il venait de se brûler, et la regarda avec des yeux suppliants.

— Je suis désolé. Pendant une seconde, tout semblait tellement norm…

— Je comprends, dit-elle. Ça ne m'ennuie pas, je t'assure.

— C'est bien vrai ?

— Ecoute, la situation tout entière est stupéfiante. Je sais seulement que ce matin, en me réveillant, je me suis sentie heureuse de faire partie de cette famille. On ne peut faire qu'une chose : continuer à avancer à tâtons, et voir où ça nous mène.

Elle sentit toute l'émotion qu'éprouvait son mari.

— Je crois que je n'avais jamais compris à quel point tu étais courageuse , lui dit-il. C'est tout simplement extraordinaire. Tu m'impressionnes, vraiment.

Sur ces paroles, il quitta la cuisine. « Je pourrais en dire autant de toi ! », pensa-t-elle. Combien d'hommes feraient face, comme lui, à cette situation inouïe ?

Une nouvelle idée lui vint tout à coup. Chaque fois que Grady quittait la maison pour aller travailler, l'ancienne Susan tremblait-elle pour lui ? Etait-ce l'angoisse qui l'avait poussée à prendre un travail, pour éviter de ressasser les dangers que lui faisait courir son métier de policier ?

Oui, c'était plausible…

Elle allait quitter la cuisine quand elle tomba en arrêt devant un grand calendrier mural, décoré de reproductions de tableaux impressionnistes. Il y avait un tableau pour chaque mois, et une place suffisamment grande pour inscrire des notes au quotidien. Notant qu'il n'affichait pas le bon mois, elle le décrocha pour tourner les pages… puis ses mains s'immobilisèrent quand elle comprit qu'elle tenait le calendrier de l'an dernier.

Pendant le petit déjeuner, Brett lui avait expliqué qu'une dame se chargeait de leur ménage. D'après le gamin, elle était très gentille, mais encore plus méticuleuse que sa grand-mère Nilson. Il ne pouvait y avoir qu'une raison pour qu'un calendrier périmé fût resté accroché dans cette cuisine : Grady n'avait pas eu le courage de s'en débarrasser.

La jeune femme le feuilleta lentement, étudiant les nombreux messages, noms et numéros de téléphone écrits de sa main. Quelle sensation étrange ! Au Foyer des Femmes, le médecin l'avait pourtant prévenue que l'amnésie pouvait affecter certaines zones de la mémoire et en laisser d'autres intactes. Pourtant, il lui était difficile d'admettre qu'elle fût devenue une autre femme tout en gardant la même écriture.

Le mois de mars révélait une activité plus intense : c'était l'époque où elle s'était mise à travailler. A partir de là, les petites notes devenaient incompréhensibles.

Puis elle atteignit le mois d'août, et constata que ses rendez-vous s'espaçaient à partir du vingt — le jour où elle était censée avoir disparu dans l'explosion de l'usine.

De septembre à décembre, il ne restait que quelques pense-bêtes assez banaux : un rendez-vous chez le dentiste pour Brett, l'anniversaire de sa grand-mère, le gala de bienfaisance de la police.

— Susan ? J'ai tout fermé. On peut y aller, maintenant.

— J'arrive !

Elle remit le calendrier à sa place, et se dirigea en toute hâte vers le garage. Ce soir, elle prendrait le temps de mieux étudier cette « pièce à conviction ». C'était un peu comme si elle avait retrouvé un journal intime. Ce calendrier allait sûrement lui apprendre beaucoup de choses, surtout si Grady le feuilletait avec elle...

— Tu vas devoir te mettre à l'arrière. Euh... par terre, en fait.

Elle sourit à son fils qui lui tenait la portière.

— Oui, ton père m'a prévenue. C'est comme dans un film ! ajouta-t-elle en espérant apaiser son inquiétude.

— Du moment que personne ne te voit.

Elle grimpa à l'arrière, et se blottit dans un coin. Par-dessus la banquette avant, les deux hommes de sa vie la regardaient s'installer avec inquiétude. Elle aurait aimé effacer leur angoisse, mais c'était si réconfortant, en même temps, de ne plus être seule. Elle avait une famille qui se faisait du souci pour elle !

Sa détermination grandit. Il fallait absolument que ses souvenirs reviennent, qu'elle aide Grady à découvrir qui avait fait ce geste monstrueux, qu'elle redevienne une épouse et une mère.

Grady plongea son regard dans le sien.

— C'est confortable ?

— Oui.

— Menteuse ! dit-il avec tendresse. Je file au salon de coiffure le plus vite possible, mais sans excès : ce serait le comble si je me faisais arrêter par un collègue !

— Ne t'en fais pas : je comprends très bien. Ce n'est pas le moment de te faire remarquer !

94

Elle vit son visage se fermer brusquement. La porte du garage se souleva en ronronnant, et elle se tapit sur le sol, troublée et inquiète. Depuis hier soir, elle avait l'impression de commettre des maladresses, de dire des choses qui choquaient ou blessaient Grady…

— Tourne la tête par ici, Brett.

Le garçon sursauta, se retourna d'un bond. Susan se retrouva seule à l'arrière. Maintenant que l'humeur de Grady avait changé, il valait mieux ne plus se manifester, rester tranquille et les laisser discuter ensemble pendant le trajet.

Ils roulaient depuis un petit moment quand elle entendit Brett demander :

— Et si on nous voit, tout à l'heure, quand on rentrera de la réserve ? On est censés être partis pour la Floride !

— On ne nous verra pas. D'abord parce qu'il fera nuit, et ensuite parce que notre voiture sera cachée dans le garage de Mme Harmon. Elle nous ramènera à la maison avec la sienne. Personne ne se posera de questions en voyant la femme de ménage relever le courrier pendant notre absence.

— C'est un plan génial, papa !

— Je rêve ou mon fils vient de me faire un compliment ?

— Tu rêves, riposta Brett en éclatant de rire.

Cachée à l'arrière, Susan sourit.

— Je crois que je vais faire une crise cardiaque, reprit Grady sur le ton de la plaisanterie.

— J'ai bien cru que tu en faisais une quand tu as vu la photo de maman sur la fiche de l'hôtel…

Sa phrase, commencée en riant, s'étrangla un peu sur la fin.

— Si j'avais eu trente ans de plus, j'étais fichu.

— Et toi, tu as failli t'évanouir quand tu as compris qui on était, hein, maman ?

— Oui, répondit-elle. Si ton père ne m'avait pas rattrapée, je me serais effondrée sur le palier.

— Et moi, quand je t'ai vue, à l'hôtel, et que tu ne m'as pas reconnu… j'étais tellement mal que j'ai vomi, en rentrant.

— Oh, je suis désolée, Brett.

— Ne te retourne pas, fils.

— J'avais oublié…

— Nous y sommes presque, Susan. Tu te souviens du nom du salon ?

— Loving Hair, répondit-elle.

— C'est dans un centre commercial. Je vais me garer dans un coin discret et te suivre de loin. Si on te demande un nom, tu es Martha Walters. Et paie en liquide.

— D'accord.

Quelques instants plus tard, un billet de cent dollars glissait entre les sièges. Elle l'attrapa au vol, le fourra dans son sac. Ils roulèrent encore quelques minutes, et Grady se gara enfin.

— Bon, nous y sommes. Tu peux te relever, maintenant. On y va !

Heureuse de pouvoir déplier son corps, elle se hissa sur le siège et descendit de voiture. Sans un regard pour sa famille, elle se dirigea vers l'entrée du centre commercial, et demanda à la première personne qu'elle rencontra où se trouvait le salon de coiffure.

L'endroit était bondé. Elle dut attendre vingt minutes avant qu'on puisse s'occuper d'elle. Quand la shampouineuse appela enfin Martha Walters, elle mit un moment à réagir, et elle comprit alors qu'elle avait parcouru beaucoup de chemin, depuis la veille.

— Oh, pardon, je suis ici !

Elle ne voyait ni Grady ni Brett, mais elle savait qu'ils montaient la garde près de l'entrée. Quel luxe de se sentir protégée ! C'était si bon que cela lui fit presque peur.

— Qu'est-ce qu'on fait, aujourd'hui ? lui demanda la coiffeuse.

— Je voudrais teindre mes cheveux pour qu'ils retrouvent leur couleur naturelle. Je suis blond platine. Je vous montrerai la couleur exacte si vous m'apportez un nuancier.

— Vous êtes fantastique en brune. Vous êtes sûre de vouloir changer ?

— Tout à fait sûre.

Ce fut très long, mais la jeune coiffeuse finit par éteindre son sèche-cheveux en s'écriant :

— Et voilà ! C'est très réussi.

Retirant d'un geste plein de panache la blouse qui protégeait les vêtements de sa cliente, elle lui présenta un miroir afin qu'elle pût se voir sous tous les angles. Susan en avait le souffle coupé. Elle était redevenue la femme de l'album photo. Dans quelques mois, ses cheveux atteindraient ses épaules, et il n'y aurait plus aucune différence. Du moins, en apparence…

— C'est exactement ça, chuchota-t-elle. Merci.

La coiffeuse sembla ravie du compliment.

— Je ne pensais pas que ce serait aussi bien. Je reconnais que je me trompais. Vous avez une peau de blonde… mais il vous faut un rouge à lèvres corail, maintenant.

— Vous en vendez ?

— Bien sûr ! Nous avons une couleur qui sera fantastique pour vous. Une petite minute, je vais vous chercher ça.

La nervosité s'emparait de Susan, mélange de crainte et d'anticipation. Comment Grady et Brett allaient-ils réagir ?

— Voilà ! Essayez ça.

La jeune femme lui tendit un mouchoir en papier pour qu'elle pût retirer son ancien rouge à lèvres. D'une main un peu tremblante, Susan essaya le nouveau.

— Vous voyez ? s'exclama la coiffeuse d'un air triomphant. Avec vos cheveux et ce foulard fabuleux, vous êtes superbe.

« Oh, je l'espère ! pensa Susan. Je veux plaire à mon mari et à mon fils. »

— Vous avez l'œil, dit-elle. Je vous dois… ?

— Soixante-quinze dollars. La maison vous offre le rouge à lèvres.

Susan ramassa son sac, et en sortit le billet de cent dollars que Grady lui avait donné, tout en murmurant :

— Merci encore. Gardez la monnaie.

— Merci !

La gorge serrée, elle quitta le salon. Dans un sens, c'était encore plus impressionnant que la veille au soir, quand elle avait dû sortir de son appartement pour affronter un policier inconnu sur le palier.

6.

Grady et Brett s'étaient finalement décidés à entrer dans le salon de coiffure. Grady portait un gros panier de fruits exotiques derrière lequel il dissimulait à demi son visage. Quant à Brett, il faisait de même avec une énorme gerbe de fleurs.

Cette séance de coiffure était interminable. Grady n'en pouvait plus de rester assis là, prisonnier de ses pensées. A certains moments, il avait encore du mal à croire que sa femme lui avait réellement été rendue.

Au cours des six derniers mois, il avait passé tant de nuits à rêver qu'il la retrouvait ! Mais il était alors loin de l'imaginer avec une nouvelle personnalité, des cheveux d'une autre couleur…

— Oh… Papa !

Le cri étouffé de Brett le ramena brutalement au présent. Il leva les yeux, et crut que son cœur allait s'arrêter de battre. La femme dont il était tombé amoureux dix-sept ans plus tôt venait de lui apparaître. Plus belle encore qu'autrefois, belle à vous couper le souffle.

Brett posa les fleurs à ses pieds, et se précipita dans les bras de la jeune femme en répétant :

— Maman… maman…

Grady comprenait exactement ce qu'il ressentait. Sans ces cadeaux qui l'encombraient, il aurait fait la même chose que son fils — mais lui, il serait en train d'embrasser Susan comme un fou.

Quand Brett la lâcha, elle leva un regard anxieux vers Grady. Comme ses yeux étaient bleus !

— Ça ira comme ça ? balbutia-t-elle.

Il fit un effort pour avaler sa salive, et murmura :

— C'est comme si la femme qui est entrée dans ce salon tout à l'heure n'avait jamais existé.

A part pour une chose : elle ne le regardait pas comme autrefois, il ne retrouvait pas dans ses yeux cette étincelle de connivence qui le désignait parmi tous les hommes comme son mari, son amant, son compagnon pour la vie. Même quand elle avait pris un travail sans lui en parler, même à cette époque où il sentait une certaine distance émotionnelle entre eux, ses yeux devenaient brumeux chaque fois qu'il la prenait dans ses bras. Presque deux décennies d'amour, et elle ne le connaissait plus. Martha Walters s'était effacée, Susan se tenait devant lui, et c'était comme un coup de poignard de ne plus la sentir amoureuse.

En plus des fleurs et des fruits, il avait un paquet à la main. Il l'ouvrit et en sortit un grand foulard et une paire de lunettes de soleil.

— Il vaut mieux mettre ça avant de retourner à la voiture.

Elle sortit la première, et traversa le centre commercial. Il marchait à quelques mètres derrière elle et, malgré le foulard et les lunettes, il voyait quelques mèches de ses cheveux blonds. Sa silhouette fabuleuse attirait beaucoup de regards. Dans leurs moments d'intimité, il l'appelait souvent sa Beauté californienne…

Le plus souvent, ils passaient leurs vacances en Californie, dans la petite ville côtière où elle était née. Sa peau avait cette texture de velours qui vire à l'or chaud dès qu'elle est exposée au soleil. Ils jouaient dans les vagues, puis revenaient s'effondrer sur leurs draps de bain. Son grand plaisir était alors d'enfouir son visage dans les cheveux de Susan. Elle sentait l'ambre solaire, le sel et le shampooing à la lavande. Du bout des doigts, elle commençait à explorer sa poitrine, ses épaules ; il prenait feu partout où elle le touchait. Bientôt, il voyait ses yeux bleus s'enflammer à leur tour. Alors, ils rassemblaient leurs affaires, retournaient à la maison, et passaient les heures de grande chaleur au lit, affamés l'un de l'autre.

— Papa, tu ouvres le coffre ?

Bouleversé par ces souvenirs qui prenaient une intensité toute neuve parce qu'elle ne les partageait plus avec lui, il s'aperçut qu'il tremblait. Il eut du mal à déverrouiller le coffre, et Brett dut l'aider à y ranger leurs cadeaux.

Tandis qu'ils contournaient la voiture pour monter à bord, elle demanda sans le regarder :

— Je dois encore me cacher ?

— Je crois que ça vaudra mieux tant qu'on n'aura pas quitté la rocade.

Quelque chose avait changé, depuis son passage chez le coiffeur. Grady sentait que son fils éprouvait la même chose que lui. En quittant la maison, tout à l'heure, elle était une inconnue qui portait les vêtements de Susan. Le retour de ses cheveux blonds faisait émerger un nouveau cauchemar : non seulement elle regardait son fils et son mari comme des inconnus, mais sa vie était de nouveau en danger car on risquait de la reconnaître.

Personne ne dit un mot tandis que la voiture démarrait.

Grady prit l'autoroute en direction du nord, et roula un bon moment en silence. Enfin, il murmura :

— Je crois que tu peux t'asseoir normalement, maintenant, Susan. On va manger quelque chose à Glendale et continuer ensuite jusqu'à Moapa.

Quelques secondes plus tard, il jeta un coup d'œil dans le rétroviseur, et croisa le regard de la jeune femme. Elle détourna les yeux très vite, comme si elle supportait mal la tension qui s'était glissée entre eux.

Une demi-heure plus tard, ils étaient à Glendale. Préférant ne pas s'attarder dans une salle de restaurant où il faudrait faire la conversation, il trouva un fast-food, et stoppa la voiture devant la fenêtre des commandes.

— Bonjour ! Qu'est-ce que je vous sers ? demanda la vendeuse avec un entrain strictement professionnel.

— Un cheeseburger, des frites et un Coca, lança Brett.

— Moi aussi, murmura Susan. La même chose.

— Mais tu n'aimais pas les cheeseburgers…

— Elle les aime, maintenant, coupa sèchement Grady.

Pourvu qu'il n'ait pas l'air trop tendu, et qu'il parvienne à garder le contrôle !

Il passa sa propre commande, et chercha désespérément quelque chose à dire pendant qu'ils attendaient.

Le repas fut silencieux et vite expédié. Il avait hâte d'en finir, et cela devait se sentir.

Ils reprirent bientôt la route et, une heure plus tard, ils entrèrent dans la petite ville de Moapa.

— Tu vois quelque chose de familier ? demanda-t-il à sa femme.

Il connaissait vaguement les lieux : il avait eu l'occasion d'y venir pour une enquête.

— Non… Ecoute, je suis désolée, mais je ne suis même pas sûre de reconnaître la maison des Benn. Elles sont toutes pareilles !

— Pas de problème : je vais demander l'adresse au poste de police.

La standardiste était seule au commissariat. Par chance, elle connaissait les Benn, et put leur indiquer le chemin.

Quelques minutes plus tard, Grady se garait devant une maison basse à toit plat, typique de la région — et qui ressemblait, effectivement, à toutes les autres.

— Je ne vois pas leur voiture, dit Susan.

Elle semblait si déçue qu'il voulut la rassurer.

— L'un d'eux est peut-être à l'intérieur...

— Oh, j'espère ! Si ça ne vous ennuie pas, je vais d'abord y aller seule.

Au moment où elle descendait de voiture, une femme apparut sous la véranda. Une femme solide et très brune, en jean et chemisier à carreaux.

Grady regarda Susan lui parler avec animation, puis la serrer dans ses bras et l'embrasser avec effusion. Après quoi, elle fit un geste vers la voiture.

— Viens, Brett, murmura Grady. Allons voir la femme qui a sauvé la vie de ta mère.

Il alla sortir les cadeaux du coffre, et se dirigea vers la véranda en compagnie de Brett.

Maureen les accueillit avec un large sourire.

— Bonjour !

— Madame Benn ? Je suis le mari de Susan, et voici notre fils, Brett. Nous venons vous remercier pour tout ce que vous avez fait pour elle. Sans vous, je crois qu'elle ne serait plus là.

— Oh, on a été contents de s'occuper d'elle. Il paraît que vous l'avez retrouvée dans un hôtel, par hasard ?

— C'est moi qui l'ai vue, précisa Brett avec un sourire rayonnant. Merci d'avoir soigné ma mère.

Il posa ses fleurs sur un siège, et serra la main de la femme avec enthousiasme. Puis Grady offrit ses fruits et une grande boîte de chocolats.

— Ça alors ! s'écria Maureen. Joseph n'en reviendra pas. Il est à Overton : il ne rentrera que ce soir. Venez boire quelque chose.

Ils s'installèrent sur de vieilles chaises de bois, autour d'un pichet de citronnade. En présence de cette femme simple et chaleureuse, la tension se dissipait. Ils parlèrent et rirent beaucoup, et Grady fut ému du naturel avec lequel les deux femmes plaisantaient ensemble.

Tout à coup, Maureen se pencha vers Susan :

— Montre-moi ta tête.

Sans la moindre gêne, elle écarta les cheveux de Susan à l'endroit où elle avait reçu le coup, puis elle hocha la tête d'un air entendu.

— J'ai déjà vu des blessures comme la tienne. Ta mémoire va revenir.

— Tu crois ?

— J'en suis sûre. Il n'y a pas de creux.

Grady respira à fond, et passa le bras autour des épaules de son fils.

— J'espère que vous avez raison ! dit-il. Vous pensez que votre mari pourrait nous montrer où vous avez découvert Susan ? J'aimerais jeter un coup d'œil.

— Il y a déjà emmené la police, en août. Ils n'ont rien trouvé : pas de traces de pneus, pas de vêtements, aucun objet… Tiens, au fait, il y a deux jours, on a appris que le corps d'un homme avait été retrouvé sur la berge de la Muddy River. Personne ne sait qui il était ni depuis combien de temps il se tenait là.

Grady releva brusquement la tête.

— C'était loin de l'endroit où vous avez trouvé Susan ?

— Non. Un kilomètre et demi, pas plus.

— Ils ont pu déterminer si c'était un Indien ?

— Je n'en sais rien. Le FBI est arrivé, et on ne nous a plus rien dit. Ça ne peut pas être quelqu'un d'ici parce qu'il ne manque personne.

Le regard de Susan croisa celui de Grady, et il sut qu'ils pensaient tous les deux la même chose. Ce corps était-il celui de LeBaron ?

— Vous venez peut-être de me fournir un élément essentiel pour mon enquête, dit-il. Merci !

Il sauta sur ses pieds, et tendit la main à Maureen.

— Je voudrais faire un saut à la clinique pour remercier le personnel…

— Oh, vous arriverez trop tard. Ils ferment à 16 h 30.

Surpris, Grady regarda sa montre. 17 h 10, déjà ! La journée avait passé à une vitesse folle. Ils feraient bien de prendre le chemin du retour.

— Si jamais nous pouvons faire quoi que ce soit pour vous, madame Benn, je vous en prie, appelez-nous, ou écrivez. Notre carte est dans le panier. De toute façon, nous reviendrons vous voir.

— Oui. Venez un dimanche, quand Joseph sera là.

Tout naturellement, elle leur ouvrit les bras, et les embrassa avec chaleur.

— Quelle femme adorable ! dit Grady en reprenant le volant. Dommage que son mari n'ait pas été là. Il faudra revenir. De toute façon, je dois voir l'endroit où ils t'ont trouvée, et aussi le site où on a découvert l'autre corps.

— Je suis sûre que ça ne l'ennuierait pas qu'on revienne demain. Vous verrez : son mari est aussi gentil qu'elle.

— C'est peut-être ce que je vais faire, murmura Grady d'un air pensif.

Brett demanda aussitôt :

— Tu ne veux pas nous emmener avec toi ?

— Je préfère que vous restiez à la maison, en sécurité. La sortie d'aujourd'hui doit rester une exception.

Maintenant qu'ils se retrouvaient tous les trois, les angoisses revenaient en force. Inquiète, Susan demanda :

— Vous croyez que Maureen a aimé ce qu'on lui a apporté ?

— Mais oui ! Ce n'est pas dans leurs habitudes de sauter de joie, mais elle était enchantée.

— C'est gentil à toi de m'avoir accompagnée. Je leur dois tellement !

— Moi aussi, dit-il brusquement.

Il ne voulait pas se montrer brutal, mais, chaque fois qu'elle le remerciait, il lui semblait que le gouffre entre eux se creusait davantage. Il ne put supporter son visage désolé.

— Excuse-moi, dit-il. Je ne voulais pas le dire comme ça.

— Ne t'excuse pas. Mettons-nous d'accord une fois pour toutes : si l'un de nous dit ou fait quelque chose qui heurte l'autre, ce n'est pas délibéré ; ça fait partie du processus des retrouvailles.

L'ancienne Susan aurait pu dire ça. « Ma femme, l'ambassadeur de la paix », pensa-t-il.

Le plus difficile pour lui serait de s'adapter à cette femme double, ni tout à fait Susan, ni tout à fait une autre. Cette femme qui affrontait une situation inimaginable... Il devait lui donner du temps, montrer de la patience, mais c'était si difficile pour lui de réprimer ses émotions ! Il la voulait tout entière, il voulait qu'elle l'aime. Il bouillait de rage à l'idée qu'on ait pu lui faire cela... Secouant ses pensées, il répondit presque gaiement :

— Marché conclu.

Puis il consulta sa montre, et ajouta d'un air préoccupé :

— Le temps que nous arrivions chez Mme Harmon, il fera nuit. Il faudra faire vite : les voisins se poseront des questions si elle passe chez nous trop tard.

Il avait hâte de rentrer pour une autre raison : il voulait passer un coup de fil à son ami Boyd Lowry, l'agent local du FBI. Boyd aurait accès à toutes les informations concernant le corps découvert près de la Muddy River. Pourtant, même à lui, il ne pourrait rien dire. Tant qu'il n'en saurait pas plus, personne ne devait apprendre que Susan était vivante. Il parlerait d'un lien avec une nouvelle affaire...

— Papa ? On pourra prendre quelque chose à boire, à Glendale ?

— Bien sûr, si on fait vite.

Une fois sortis de Moapa, ils purent prendre de la vitesse, mais les routes de la réserve étaient en mauvais état.

— Maman sera encore obligée de se mettre par terre quand on sera sur l'autoroute ?

— Ça m'ennuie aussi, mais je crois que ça vaut mieux.

— Oh, ça ne me dérange pas, Brett.

— Ta maman est une sacrée bonne femme, Brett, tu sais ça ?

Une sacrée bonne femme ? Non, pensa-t-elle tristement, je fais seulement ce qu'il faut pour survivre.

Plusieurs fois, au cours de cette longue journée, elle avait ressenti une extrême tension. Tout était si difficile, avec Grady ! Epuisée, elle se blottit au fond de la voiture sans plus participer à la conversation.

Brett avait une foule de questions sur la culture des Indiens Paiute, et Susan écouta, fascinée, les réponses de son mari. Il avait une connaissance impressionnante du sujet ! Quand il cessa de parler pour téléphoner à Mme Harmon et la prévenir qu'ils arrivaient, elle éprouva une réelle déception.

Bientôt, elle sentit la voiture ralentir, virer, et gravir une courte pente. Puis une porte se rabattit derrière eux. Ils se trouvaient dans un garage.

Quand son mari coupa le moteur, le silence les enveloppa.

— Bon, dit Grady. Vous savez ce que vous avez à faire, alors en route ! Les présentations seront pour plus tard.

Susan sortit de la voiture, et la contourna pour rejoindre celle de Mme Harmon. Grady ouvrait déjà le coffre. Elle grimpa à l'intérieur, et il abaissa le capot jusqu'à ce qu'elle pût le saisir de l'intérieur.

— Ça va aller ? souffla-t-il.

— Pas de problème.

— Ça ne me plaît pas du tout de te faire voyager de cette façon, mais il faut que je sois à l'arrière s'il arrive quelque chose.

— Ne t'en fais pas pour moi.

— Autant me demander d'arrêter de respirer !

« C'est la même chose pour moi, Grady », aurait-elle voulu lui dire.

— Cette pauvre Mme Harmon ! On l'entraîne dans une drôle d'histoire.

— Elle est si contente de te savoir de retour qu'elle ferait n'importe quoi pour nous aider. Tiens bon : la maison n'est qu'à trois kilomètres.

Il lui serra furtivement la main, et ce contact fit naître en elle une chaleur délicieuse.

— On se revoit à la maison.

Elle se souvint de la description de Tina en voyant Grady : le genre d'homme qu'on veut ramener chez soi et garder pour toujours…

Le trajet fut inconfortable, mais se déroula sans incident. Susan compta les minutes jusqu'au moment où elle sentit la voiture s'arrêter. Un instant plus tard, elle poussa un soupir de soulagement en entendant s'ouvrir la porte du garage. Dès qu'elle se fut rabattue derrière eux, Grady se précipita pour lui ouvrir le coffre.

— Nous voilà chez nous ! murmura-t-il en la soulevant dans ses bras.

Elle dut se retenir pour ne pas le prendre par le cou… Sans deviner son émotion, il posa le doigt sur ses lèvres, et ils entrèrent tous les quatre dans la maison en respectant un silence absolu.

Certaines lumières étaient allumées. Arrivés dans le living, ils se regardèrent, muets, interdits.

Susan découvrit alors Mme Harmon. C'était une petite femme d'une soixantaine d'années, encore séduisante avec ses cheveux châtains et ses yeux noisette. Grady lui avait dit qu'elle était veuve. Les deux femmes se serrèrent la main, puis s'embrassèrent spontanément.

En chuchotant, Mme Harmon fit des vœux pour que Susan recouvrât bientôt la mémoire. Sur le même ton, Susan la complimenta pour la manière dont elle avait tenu la maison pendant cette période difficile.

Ils passèrent dans la cuisine, et Susan confectionna des sandwichs qu'ils mangèrent rapidement, en parlant à voix basse.

Mme Harmon sortit sur le pas de la porte pour jouer son rôle et justifier sa venue en relevant le courrier et les journaux. Quand elle fut prête à repartir, Grady l'accompagna jusqu'au garage, tandis que Brett aidait Susan à remettre de l'ordre dans la cuisine. Ils ne parlaient plus, épuisés par les émotions de cette journée. Après un sourire et un baiser rapide, elle décrocha le calendrier du mur et se dirigea vers l'escalier.

Quelques instants plus tard, elle se retrouvait seule avec son mari dans la chambre d'amis.

— Que veux-tu faire de ce calendrier ? lui demanda-t-il.

— J'ai pensé qu'on le regarderait tous les trois, et que vous pourriez m'expliquer ce que veulent dire les notes.

Il y eut un long silence, puis il murmura :

— Je n'ai jamais pu le jeter. Ton écriture…

Sa voix s'éteignit.

— Je suis si contente que tu l'aies gardé ! s'écria-t-elle. Il va me permettre d'apprendre des choses sur moi-même et sur notre vie de couple.

— En fait, c'est une excellente idée. On va l'étudier très attentivement. On y trouvera peut-être une indication sur ce qui t'est arrivé, ou quelque chose qui réveillera un souvenir.

— C'est ce que j'espère. Si vous avez le courage, on peut même s'y mettre dès ce soir...

Quelques minutes plus tard, Brett et Grady revinrent dans la chambre, en pyjama. Assise en tailleur sur le lit, en chemise de nuit et peignoir, Susan tapota le couvre-lit près d'elle avec un sourire.

— Installez-vous. Faisons le premier plongeon.

Pendant une heure, ils l'aidèrent à élaborer une image de la vie qu'elle menait avant l'explosion. Elle apprit ainsi qu'avant de travailler, elle s'occupait des repas, de la maison, du jardin, et elle accompagnait Brett dans ses nombreuses activités. Elle participait aussi à la vie de plusieurs associations dont elle assurait bénévolement la comptabilité. Peu à peu, les nombreux noms et numéros de téléphone prirent un sens pour elle.

Elle apprit que la famille se rendait généralement au Temple, le dimanche. Le pasteur, qui était un ami, s'était chargé de la cérémonie ayant accompagné ses obsèques.

— Moi, j'allais à l'église catholique, il n'y a pas si longtemps, dit-elle sans réfléchir.

Grady la dévisagea, stupéfait.

— Où donc ?

— A Saint-Vincent, avec Paquita. En fait, je suis allée me confesser pour pouvoir parler au prêtre de ce qui m'était arrivé. Il m'a beaucoup aidée. Lui aussi, j'aimerais retourner le voir, un jour.

Brett la regarda du coin de l'œil, perplexe.

110

— Ça fait drôle. Tu chantais dans la chorale de notre temple, maman.

— C'est vrai ?

— Tu aimes la musique, ajouta Grady. Nous assistons souvent à des concerts classiques.

Etait-ce elle qui aimait la musique ou cette femme qu'elle n'était plus ? Il y avait trop de nouveaux éléments à intégrer ; il faudrait y réfléchir plus tard, décida-t-elle en revenant au calendrier.

Ils lui parlèrent ensuite de leur abonnement à la piscine locale, où ils allaient souvent nager ensemble, en début de soirée. Une fois par mois, les membres les plus assidus se retrouvaient pour un barbecue.

— C'est là que je m'entraîne, marmonna Brett, allongé en travers du lit, les yeux clos. La semaine prochaine, je vais essayer d'entrer dans l'équipe du collège.

— Je parie que tu seras le meilleur.

— Oh, non ! Il y a beaucoup de gars plus rapides que moi.

— N'empêche que tu t'améliores tout le temps, Brett, dit son père. Dis donc, ça fait un bon quart d'heure que tu somnoles. Va donc te coucher.

— Bon, d'accord…

Les yeux lourds, il se releva, fit le tour du lit pour embrasser sa mère. Puis il passa le bras autour des épaules de son père, le serra brièvement contre lui, et disparut.

— Heureusement que tu étais là pour lui, chuchota Susan. C'est un garçon merveilleux.

— Ça, c'est grâce à toi. Et ne me fais pas trop de compliments ! Depuis l'accident, j'ai été un père lamentable. Enfin, c'est une autre histoire…

Elle se sentit gênée qu'il se rabaissât ainsi. Sachant qu'il refuserait toute parole de réconfort, elle se pencha de nouveau

sur le calendrier. Elle avait déjà appris qu'elle faisait partie
d'un groupe réunissant tous les quinze jours des femmes de
policiers qui rendaient visite aux malades dans les hôpitaux
de la ville.

Son ancienne vie lui semblait intéressante et bien remplie.
Si son désir de travailler découlait d'une volonté de se rendre
encore plus utile, pourquoi n'en avait-elle pas parlé d'abord avec
son mari ? La raison qu'elle avait donnée à Brett ne tenait pas
debout. Son silence devait s'expliquer autrement.

— Qui est cette Jennifer dont le nom revient régulièrement ?
demanda-t-elle en désignant un point sur le calendrier.

— Ella Stevens et elle étaient tes deux meilleures amies.
Jennifer fait aussi partie de l'association des femmes de policiers.
Elle est mariée à Matt Ross, un collègue à moi.

— On se retrouvait souvent, tous les quatre ?

— Pas souvent, non.

Cette réponse trop désinvolte sonnait faux.

— J'ai l'impression qu'il y a quelque chose que tu ne me
dis pas.

Surpris, il la regarda plus attentivement.

— Je crois que l'amnésie a affiné ta perception dans certains
domaines. Nous n'en avons jamais parlé tous les deux, mais,
en fait, Jennifer était jalouse de toi.

— Pourquoi ?

— Tout le monde t'aimait. Tu étais toujours ouverte et
chaleureuse. Beaucoup d'hommes te trouvaient irrésistible.
Matt en faisait partie.

Elle fronça les sourcils.

— Il m'a fait des avances ?

— Non. Ça n'est jamais allé jusque-là, mais Jennifer est
plutôt du genre anxieux. Je crois qu'elle a fini par développer
un complexe en se comparant à toi.

— C'est triste.

112

— Je n'ai aucune preuve de ce que j'avance. C'est juste une impression qui s'est précisée au fil du temps. Notamment au cours du dernier dîner annuel de votre association, auquel les maris étaient invités.

— Celui que j'ai noté début mars ? demanda Susan en tournant les pages pour le retrouver.

Il approuva de la tête.

— Juste avant que je ne commence à travailler, alors ?

— Oui.

— Pourquoi est-ce que tu ne m'as jamais parlé de ce problème avec Jennifer ?

— Parce que tu l'appréciais et que tu ne semblais pas consciente de son attitude. Je ne voulais pas risquer de provoquer une brouille entre vous.

— Mais tu étais mon mari : on pouvait tout se dire !

— Pas en ce qui concernait Jennifer, dit-il en baissant les yeux.

Susan se redressa, intriguée.

— Parle-moi d'elle. Elle est jolie ?

— Une petite brune assez ordinaire. Mince.

— Ils ont des enfants ?

— Deux grands enfants, déjà au lycée.

— Et, en tant que personne, elle est comment ?

Il prit son temps pour répondre.

— Je dirais qu'elle a… beaucoup de choses à se prouver.

— Elle reste à la maison ou elle a un travail ?

— Aux dernières nouvelles, elle travaillait à mi-temps dans un magasin de fournitures de bureau.

— Les femmes de tes collègues travaillent, en général ?

— La plupart, oui. Elles faisaient souvent appel à toi pour les remplacer à l'hôpital, quand elles ne pouvaient pas se libérer. A mon avis, Jennifer profitait largement de ta bonne volonté.

— Tu crois qu'elle me voyait comme une femme oisive, gâtée par la vie ?

— C'est possible.

— Peut-être qu'au fond, elle me détestait.

— Assez pour te faire du mal ? demanda-t-il en relevant vivement les yeux. Je ne crois pas, non. Pourtant, quand je me suis senti vraiment très mal, cette idée m'est venue plusieurs fois.

Machinalement, elle passa la main sur le calendrier.

— Elle s'intéressait à toi ?

Ils échangèrent un long regard.

— Je n'ai aucune idée de ce qui se passe réellement dans sa tête, dit-il. Elle joue un jeu de séduction assez agaçant, mais je ne m'en suis jamais préoccupé.

— Avait-elle de l'influence sur moi ?

— Pas vraiment, non. Mais elle te lançait régulièrement des piques, et je crois que tu en souffrais sans le dire.

— Par exemple ?

— Le soir de ce dîner, en mars, son mari et elle étaient debout près du buffet, avec un groupe d'amis, quand nous sommes entrés dans la pièce, toi et moi. Lorsqu'elle t'a vue, elle a lancé à la cantonade : « Tiens, voici la ravissante Susan ! Elle a eu le temps de bronzer, pendant que nous passions le plus clair de notre temps au bureau ! » Je savais que tu avais bronzé en travaillant dans le jardin, et je n'ai pas du tout apprécié son commentaire. Toi, tu as ri : tu n'avais pas l'air de prendre ça au sérieux.

Susan se leva.

— Je me sentais peut-être coupable de ne pas travailler ? Trop dépendante de toi ? Tu crois que c'est pour cette raison que j'ai décidé de prendre un emploi ?

Le visage de Grady s'assombrit.

— C'est possible...

— Oh, pourquoi est-ce que je ne m'en souviens pas ? se lamenta-t-elle à mi-voix.

Il se leva à son tour.

— Tout ça n'a plus d'importance...

— Bien sûr que si ! Après tant d'années de bonheur, quelque chose a dérapé dans notre mariage, quelques mois seulement avant l'explosion. Ça n'a peut-être aucun rapport, mais je veux quand même savoir ce qui nous est arrivé !

Il la saisit aux épaules, et plongea les yeux au fond des siens.

— Pourquoi est-ce si important pour toi ?

Pour l'amour du ciel, avait-elle mal interprété toute la situation ? Comptait-il mettre fin à leur mariage dès qu'il aurait attrapé son assassin ?

— Ça nous aiderait à retrouver notre tranquillité d'esprit... Visiblement, il y avait un problème entre nous quand je suis partie pour l'usine, ce matin-là. Tu crois que je ne sens pas ta souffrance ou celle de Brett ? Aide-moi à trouver la vérité, Grady. Je me fiche de savoir jusqu'où il faudra creuser : je te demande de tout me dire.

— J'avais raison, marmonna-t-il. Tu es bien la personne la plus courageuse que j'aie jamais rencontrée.

Il laissa ses mains retomber le long de son corps et, tout de suite, le contact de ses mains lui manqua.

— Et mon autre amie ? demanda-t-elle. Ella Stevens ?

— Ella est adorable.

Susan sourit, amusée.

— Venant de toi, c'est un sacré compliment.

A sa grande surprise, il ne répondit pas à son sourire.

— C'est Jim qui a voulu quitter ce quartier. Il tenait à offrir une grande maison à sa famille. En fait, il ne faisait plaisir qu'à lui : Mike et Brett ont déprimé, et ç'a été assez dur pour toi et Ella. Quand ils ont appris que tu avais disparu dans l'explosion, Ella s'est effondrée et, depuis, elle ne sait que faire pour nous rendre service. A sa façon, elle a essayé de combler le vide que ressentait Brett, mais, malheureusement, il était fermé, difficile à atteindre. Il refusait que quiconque vienne prendre ta place.

Elle en eut les larmes aux yeux.

— On passait beaucoup de temps ensemble, Ella et moi ?

— Oui. Vous vous seriez sans doute vues encore davantage si elle n'avait pas travaillé pour Jim.

— Donc, elle avait un emploi, elle aussi.

Il hocha la tête.

— Quand elle était trop occupée, tu étais toujours là pour Mike. Même leur grand fils, Randy, passait la moitié de son temps ici. Il en pinçait pour toi, et il aimait venir frimer avec sa grosse moto.

— J'ai hâte de les rencontrer tous, dit Susan en riant. Et Jim Stevens ? Tu ne parles pas de lui.

— C'est un obsédé du travail.

— Vous êtes proches, tous les deux ?

— Non, mais il est généreux, et je l'aime bien.

— Autrement dit, tu ne recherches pas son amitié.

Il la contempla, interdit.

— Tu es devenue extralucide !

— Mais non ! Simplement, je vais droit au but. Qui est ton meilleur ami, Grady ? La personne sur qui tu comptes, sur laquelle tu t'appuies quand tu as besoin de soutien.

Il y eut un bref silence, puis il murmura :

— C'était toi...

Avant qu'il n'ouvrît la bouche, elle avait deviné ce qu'il dirait. Inclinant la tête, elle murmura :

— J'en ai appris assez pour savoir que je ressentais la même chose pour toi. Voilà pourquoi il faut fouiller chaque aspect de notre vie, même si c'est parfois désagréable. Nous devons découvrir à quel moment et pourquoi les choses ont commencé à mal tourner.

« Et la vérité fera de vous des hommes libres » ? lança-t-il avec un demi-sourire.

— Oui, répondit-elle en soupirant. Ou, plus prosaïquement, pour pouvoir réparer quelque chose, il faut trouver la panne.

— Je suis d'accord avec toi.

Elle osa le regarder en face, et remarqua pour la première fois les cernes sombres sous ses yeux.

— Tu es aussi fatigué que Brett ! Il faut dormir. Demain, tu m'aideras à déchiffrer ce que j'ai inscrit sur le calendrier après avoir repris le travail ?

— On commencera au petit déjeuner. Dors bien.

Il sortait de la pièce quand le téléphone sonna, les faisant sursauter tous les deux. Il s'immobilisa à la porte, puis dit à mi-voix, comme si on pouvait les entendre :

— Le répondeur prendra tous les appels, cette semaine. On se servira de mon portable pour rester en contact avec Mme Harmon. Bonne nuit, Susan.

— Bonne nuit, répondit-elle en regrettant qu'il ne restât pas plus longtemps.

Grady venait juste de laisser un message à Boyd Lowry, lui demandant de le rappeler sur son portable le lendemain matin, quand il entendit le hurlement de Brett. Un cri terrible, assez fort pour réveiller les voisins.

Sur le moment, il crut que son cœur s'arrêtait de battre. Il bondit hors du lit, et se précipita dans le couloir. Devant lui, une silhouette en chemise de nuit s'engouffrait dans la chambre de leur fils. Le temps qu'il atteignît la porte à son tour, Susan berçait déjà Brett dans ses bras.

— Réveille-toi, mon chéri. Réveille-toi. C'est un mauvais rêve.

— Maman ? cria le garçon.

— Oui, mon grand. Je suis là.

— Je t'ai v... vue exploser, bredouilla-t-il entre deux sanglots. Je t'ai vue...

Grady s'assit à son tour sur le lit, et les entoura tous les deux de ses bras.

— Personne n'a explosé. Maman est ici, Brett. On est là tous les deux.

— Ne t'en va pas ! supplia-t-il en jetant ses bras autour du cou de Susan.

— Je resterai avec toi toute la nuit, promit-elle. Allonge-toi.

— Papa ?

— Oui, Brett.

— Tu veux bien rester, toi aussi ?

— D'accord.

Il contourna le lit pour que Brett se trouvât entre eux. Le lit était large, mais pas assez pour trois personnes. Quelle importance ? Les deux êtres qu'il aimait le plus au monde étaient tout contre lui.

La lumière du couloir lui permettait de voir le visage de Susan. Elle caressait la joue de son fils, tout en lui murmurant des petits mots tendres, comme elle le faisait quand il était bébé. C'était exactement ce dont le garçon avait besoin. Bientôt, ses sanglots s'apaisèrent, et son corps entier se détendit.

Pour la première fois depuis qu'ils l'avaient retrouvée, elle se comportait comme la Susan d'autrefois. Ebloui, Grady se soulevait sur un coude pour mieux la voir quand elle se mit à chanter à mi-voix :

— Monsieur le marchand de sable, apportez-moi un beau rêve...

Grady sentit son cœur bondir dans sa poitrine. C'était une berceuse qu'elle chantait à Brett quand il était tout petit ! Oh, cette voix au timbre suave lui rappelait tant de souvenirs ! Il n'osait pas faire un geste car ce qui se passait était stupéfiant. Devait-il faire quelque chose, ou risquait-il de rompre le charme ?

Quand elle eut terminé la chanson, Brett s'était endormi — et elle aussi.

Grady sentit une sueur froide l'inonder. Il ne devait faire aucun faux pas, maintenant : c'était trop important. A son réveil, allaient-ils retrouver leur Susan intacte, avec tous ses souvenirs ? Les choses pouvaient-elles se passer aussi simplement ?

Il fallait poser ces questions à un neurologue, mais il lui conseillerait probablement d'emmener sa femme aux urgences.

Or, ils ne pouvaient pas sortir de leur retraite. Pourtant, il lui fallait un conseil, tout de suite.

Lentement, très lentement, Grady quitta le lit et se rendit dans sa propre chambre.

Sans doute pouvait-il faire confiance à leur médecin, le Dr Perry ? S'il lui expliquait la situation, il saurait garder le secret. Tant pis pour l'heure tardive : il avait son numéro personnel ; il allait l'appeler tout de suite.

Dès que le Dr Perry eut encaissé la nouvelle stupéfiante, il se concentra sur les inquiétudes de Grady.

— Si deux médecins différents l'ont vue depuis son accident, et s'ils n'ont ni l'un ni l'autre proposé de l'hospitaliser, on peut conclure qu'il n'y a pas de lésions au cerveau. Sa mémoire est sans doute en train de revenir. Tout peut lui être rendu en bloc, mais, dans les cas que j'ai rencontrés personnellement, cela revient par étapes, généralement dans des moments de stress émotionnel.

Le cauchemar de Brett entrait bien dans cette catégorie !

— Ces expériences sont souvent accompagnées de brefs épisodes de nausées ou de vertiges. Il se peut qu'elle parle avec vous des images qui lui reviennent, ou qu'elle n'en dise rien. Si elle n'en parle pas la première, dites-lui ce qui s'est passé avec cette chanson. Ça la mettra en confiance, au cas où elle n'oserait pas vous avouer qu'elle s'est souvenue de quelque chose.

— Mais elle veut se souvenir ! Elle y pense tout le temps !

— Justement, c'est trop important ! Toute sa vie est en jeu, pour ainsi dire. Si une image lui vient, elle peut se demander si c'est une illusion, un faux souvenir. Maintenant qu'elle est de retour chez elle, obligée de gérer son passé, l'écart entre ses deux personnalités est en train de s'estomper. Pour dire les choses plus simplement, Grady, c'est très bon signe. Je suis heureux, très heureux pour vous.

Grady s'autorisa enfin à respirer librement.

— Merci, docteur. J'avais vraiment besoin d'entendre ça.

— Le processus a commencé, mais il faudra être patient. Ecoutez, je vais vous donner le nom d'un excellent spécialiste. Si vous avez d'autres questions, appelez-le de ma part.

Grady le remercia encore et raccrocha.

Pendant quelques secondes, il savoura le merveilleux sentiment d'espoir qui se glissait en lui, puis il retourna sans bruit dans la chambre de Brett.

Pendant une bonne partie de la nuit, il resta allongé sans dormir, attendant l'instant où Susan ouvrirait les yeux. Il ne s'endormit qu'au petit matin.

— Maman ? dit une voix à son oreille.

Péniblement, il émergea d'un sommeil profond. Près de lui, quelqu'un remuait... Brett. Il était dans la chambre de Brett, et le soleil était déjà haut dans le ciel.

— Oui, mon chéri ? répondit Susan.

Elle semblait parfaitement réveillée. Il la vit se pencher vers Brett.

— Tu fais un autre rêve ?

— Non. On peut parler ?

— Bien sûr.

— Tu m'as chanté quelque chose, cette nuit.

— J'ai pensé que ça te rassurerait.

— Maman... c'était la même chanson que tu chantais à Lizzy et Karin, quand ils dormaient ici. Ta mémoire est en train de revenir !

« La vérité sort de la bouche des enfants », se dit Grady.

— Alors, ce n'était pas mon imagination ? balbutia Susan, incrédule.

Grady rejeta les couvertures, et fit le tour du lit pour venir s'agenouiller près de sa femme.

— Qu'aurais-tu donc imaginé ? lui demanda-t-il avec douceur.

Elle leva vers lui des yeux interdits.

— Quand j'ai entendu Brett m'appeler en hurlant dans la nuit, il m'a semblé que je me souvenais… comme si c'était déjà arrivé.

Il sentit son cœur battre violemment. Car il y avait bien eu un autre incident…

— Tu te souviens d'une autre fois ?

— Brett pleurait, allongé près de moi. C'est idiot, mais il me semble qu'il était question d'un ours.

— Papa ! cria le garçon, surexcité. Tu te souviens de ce voyage ?

Grady prit les mains de sa femme entre les siennes.

— Quand Brett avait huit ans, nous sommes allés camper tous les trois au Parc Naturel du Glacier. Nous avons vu des ours, des élans. Une nuit, pendant qu'on dormait, bien au chaud dans notre tente, il a fait un cauchemar dans lequel un ours lui mangeait les doigts de pied.

Emu par son sourire tremblant, il continua :

— Je crois que tout s'est mélangé dans son esprit parce que, dans son film préféré, il y avait un ours qui léchait du miel sur les pieds d'une femme endormie. Il a hurlé de toutes ses forces en t'appelant, et il a sans doute terrorisé tous les animaux à des kilomètres à la ronde. Tu l'as rassuré, et tu lui as chanté : « Monsieur le marchand de sable ». C'était sa berceuse préférée quand il était bébé.

Le regard bleu de Susan plongea au fond du sien.

— Ça veut dire que…

— Ça veut dire exactement ce que disait Brett. Tu commences à retrouver des éclairs du passé. Cette nuit, quand vous vous êtes rendormis tous les deux, j'ai appelé notre médecin de famille, et je lui ai tout raconté. Il dit que la majorité des amnésiques retrouvent leurs souvenirs par fragments. Tu ne revois pas autre chose ?

Le visage crispé, elle secoua la tête.

Brett sauta du lit, et sortit de la chambre au pas de charge, en criant par-dessus son épaule :

— Peut-être que si tu voyais des photos de ces vacances… Je vais chercher l'album !

— Ça y est, chuchota-t-elle. Ça commence à revenir.

C'était magnifique d'avoir retrouvé la première pièce du puzzle, le premier fragment du passé.

Grady prit sa main entre les siennes, et lui embrassa le bout des doigts — elle sentit un frémissement électrique la parcourir.

— Oui. Ça commence.

— Regarde, Maman !

Brett était de retour. Se laissant tomber en travers du lit, il posa l'album devant elle.

Elle s'essuya rapidement les yeux, et se pencha pour mieux voir les photos. La première les montrait tous les trois à l'entrée principale du Parc du Glacier. Ils désignaient le grand panneau d'un air triomphal.

Les cinq années écoulées depuis que cette photo avait été prise n'avaient guère marqué le visage de Grady : elle le trouvait même plus séduisant, aujourd'hui. Elle-même avait un physique plus juvénile, mais sa silhouette était la même. Quant à Brett, il était métamorphosé ! Quel adorable petit garçon aux cheveux de lin…

Tandis qu'elle tournait les pages, il lui raconta leur voyage par le menu. Le père et le fils la contemplaient avec passion, suspendus à ses lèvres… Brett posa la tête sur son épaule.

— Tu ne reconnais rien ? lui demanda-t-il d'un ton enjôleur, comme s'il pouvait apprivoiser ses souvenirs.

— Ça ne se contrôle pas ! lui rappela son père.

Elle aurait tant voulu leur faire ce plaisir !

Elle se concentra au maximum, découvrant d'autres vacances en famille dans d'autres parcs naturels. Elle scruta chaque photo en luttant contre la panique qui montait en elle… et ne reconnut rien.

Apparemment, ils allaient en Californie trois fois par an. Ils étaient reçus par sa famille, et exploraient les plages de la côte.

L'une des légendes écrites à la main sous les photos attira brusquement son attention. « La Galerie Vincent Farrel à Laguna ».

— Je connais ce tableau !

Brett eut un sourire radieux — qui s'effaça aussitôt.

— C'est parce que papa te l'a offert l'année dernière. Il est accroché dans votre chambre…

Elle tourna la dernière page, et demeura silencieuse. C'était terminé. Grady referma l'album, et le posa sur la table de chevet.

— Je ne sais pas si vous êtes comme moi, mais je meurs de faim ! s'écria-t-il. Je me douche, et je redescends nous préparer un bon petit déjeuner.

— Grady, attends…

Il s'immobilisa sur le pas de la porte, puis se retourna vers elle. Son cœur battait si fort qu'elle suffoquait presque.

— Ce tableau… Je ne suis pas encore entrée dans notre chambre…

Bouche bée, il la dévisagea quelques secondes, puis balbutia :

— Mais les vêtements que tu portais hier…

Brett bondit du lit avec un cri de guerre.

— C'est moi qui les ai apportés à maman ! Elle s'est souvenue !

124

Elle se leva à son tour. Oh, cette joie sur le visage de Grady ! Dès qu'elle l'eut rejoint, il lui saisit fermement la main, et murmura :

— Viens voir ton tableau.

Ils se rendirent tous les trois dans la chambre voisine. Susan chercha le tableau des yeux, et le découvrit au-dessus de la commode. Il représentait une pièce à demi vitrée, remplie de fleurs et de plantes vertes. Deux portes-fenêtres s'ouvraient sur l'océan. Les touches légères de bleu, de violet et de rose l'enchantèrent.

— Tu te souviens de la galerie, M'man ?

— Non, mais le tableau me rappelle les Impressionnistes du calendrier.

Elle ne se lassait pas de le contempler. Tout à coup, le monde se fit un peu flou autour d'elle. Elle tendit la main, et s'accrocha d'instinct au bras de Grady.

— Ça ne va pas ? lui demanda-t-il, inquiet.

— Oh, si... Juste un petit vertige.

L'entourant de son bras, il l'entraîna vers le lit.

— Allonge-toi, ça va passer.

— Non, je préfère... rester assise.

Brett ouvrait de grands yeux inquiets. Elle lui sourit pour le rassurer, et Grady expliqua à son fils d'un air important qui fit rire Susan :

— Le Dr Perry m'a prévenu qu'elle risquait d'avoir des vertiges ou des nausées quand la mémoire lui reviendrait. Tu veux bien aller lui chercher un verre d'eau ?

Tandis que le garçon se précipitait dans la salle de bains, Susan leva les yeux vers son mari.

— Deux souvenirs d'un coup...

— Dieu merci ! murmura-t-il.

— J'avais si peur que ça n'arrive jamais...

— Tiens, maman !

Elle prit le verre, le vida d'un trait, et annonça qu'elle se sentait beaucoup mieux. Brett eut l'air très fier, comme si son verre d'eau avait guéri sa mère.

— Je peux faire autre chose ? demanda-t-il.

— Non, c'est parfait. Merci, mon grand.

Dans l'euphorie du moment, il lui sembla tout naturel de le serrer dans ses bras. Du même coup, elle remarqua le visage du footballeur imprimé sur son pyjama.

— Depuis quand est-ce que tu soutiens les Broncos de Denver au lieu de notre équipe ? s'écria-t-elle, amusée.

— Je ne les soutiens pas ! protesta-t-il. C'est la mère de Mike qui m'a rapporté ça quand ils sont allés voir un match national à Denver, mais… M'man ! Tu te souviens des équipes ?

Elle le serra de nouveau dans ses bras, le souffle coupé. Par-dessus son épaule, elle remarqua le grand sourire heureux de Grady, mais quand elle plongea son regard dans le sien, elle y vit un éclair de douleur. Cela ne dura qu'une fraction de seconde, mais elle comprit : il attendait que ses souvenirs la ramènent à lui ! A eux deux, ensemble ! Pour l'instant, elle ne retrouvait que des anecdotes sans importance au lieu du pivot central de leur existence.

Son inconscient gardait-il prisonniers les souvenirs de leur couple à cause du problème qui les avait séparés avant l'explosion ?

Le portable de Grady sonna. Il s'écarta pour répondre. Doucement, Susan entraîna Brett.

— Viens, lui murmura-t-elle. On va préparer le petit déjeuner.

Elle fit un détour par la chambre d'amis pour enfiler son peignoir et prendre le calendrier.

— Qu'est-ce qui fait plaisir à ton père, le matin, à part le steak ? demanda-t-elle à Brett qui l'attendait à la porte.

— Oh, il aime tout.

— C'est facile, alors.

Ils descendirent l'escalier, débouchèrent dans la cuisine. Comme c'était curieux de vivre dans cette maison aux volets fermés, où le clair soleil n'entrait que par les interstices des volets !

— Et toi, je parie que tu aimes les céréales avec du lait.

— Tu viens de t'en souvenir ?

— Oh, non, je l'ai juste deviné. Mon frère ne voulait jamais prendre autre chose avant de partir pour l'école, le matin.

D'un seul coup, elle pouvait voir son frère. Non pas l'homme des photos, mais un garçon mince perché sur un grand tabouret devant le plan de travail de la cuisine, en train d'engloutir des céréales. C'était dans la cuisine de ses parents…

— Todd…

Le verre qu'elle tenait à la main explosa sur le carrelage.

— Ne bougez pas, tous les deux ! lança Grady en accourant. Vous risqueriez de vous couper.

Susan tourna la tête, et le vit sortir un balai d'un placard. Son coup de fil avait dû être très bref.

— Fais attention, dit-elle, inquiète parce que lui aussi était pieds nus.

En quelques gestes rapides, il balaya le verre brisé, et vérifia avec soin qu'il n'en restait pas sur le carrelage.

— Je suis désolée. Quelle maladroite je fais…

— Tu peux casser tous les verres de la maison, si ça doit t'aider, dit Grady avec un petit rire.

— On parlait du petit déjeuner, dit Susan, et j'ai revu mon frère en train de manger ses céréales, quand on était gosses.

— Tu te souviens d'autre chose concernant ton frère ?

— Non.

— En tout cas, le passé te revient plus vite que je ne l'espérais !

— Tu ne te sens pas malade, maman ?

127

— Non, mon cœur, pas cette fois.

Elle se sentait seulement gênée de raconter à son mari des souvenirs où il n'était jamais question de lui…

— Une omelette, ça vous dirait ? demanda-t-elle d'une voix mal assurée.

— Parfait !

— Je vais mettre le couvert, proposa Brett.

Elle sortit du réfrigérateur des œufs et du fromage. Grady vint la rejoindre avec un oignon, un poivron et une tranche de jambon. Ce serait donc une omelette mexicaine.

— C'était qui, au téléphone ? demanda-t-elle en se mettant au travail.

— Hier soir, j'ai passé un coup de fil à un ami au FBI, à propos du corps trouvé sur la réserve.

Elle resta un instant le couteau en suspens.

— Tu as été obligé de lui dire que tu n'étais pas en vacances ?

— Non. Il me croit en Floride, avec Brett. Dès qu'il aura des informations, il me contactera. Je lui ai demandé de se mettre en rapport avec la famille LeBaron et de se procurer ses fiches dentaires. Si elles correspondent, cela voudra dire qu'il n'était pas responsable de ce qui t'est arrivé, que vous étiez tous les deux victimes. Dans le cas contraire, je partirai du principe qu'il est toujours en vie, et je lancerai un avis de recherche. Entre-temps, nous allons attaquer le problème sous un autre angle, toi et moi.

Il sortit une poêle, y déposa une noix de beurre. De son côté, elle se mit à battre les œufs.

— Drummond, tu veux dire ?

— C'est le seul autre compte sur lequel tu aies travaillé.

— Grady ? Je ne me souviens absolument pas d'avoir été comptable : ça me paraît aussi hermétique que le grec ancien…

128

— Ne t'inquiète pas. On va ouvrir le dossier tous les deux, et essayer d'y comprendre quelque chose. Après tous les souvenirs qui te sont revenus depuis hier soir, je suis sûr qu'il ne faudra pas beaucoup de temps pour…

Il se tut brusquement. La porte du garage venait de s'ouvrir ; elle l'avait entendue, elle aussi. Inquiète, elle se tourna vers son mari.

— Quelque chose ne va pas, murmura-t-il. Mme Harmon ne devait pas venir avant 6 heures ce soir.

Tournés vers la porte, ils attendirent tous les trois. Quand ils entendirent des pas rapides dans le couloir, Grady lança :

— Madame Harmon ? Nous sommes dans la cuisine.

Elle apparut, l'air soucieux.

— Je suis vraiment désolée de vous déranger. Je vous ai appelé sur votre portable mais vous n'avez pas répondu.

— Oh ! s'exclama Grady. C'est ma faute, madame Harmon : je l'ai oublié là-haut. Dorénavant, je le garderai près de moi. Il est arrivé quelque chose ?

— Ella Stevens m'a téléphoné, il y a quelques minutes, pour me dire qu'elle était enchantée que vous soyez parti pour la Floride avec Brett. Puis, sans transition, elle a voulu savoir si vous aviez prévu de faire tondre votre pelouse pendant votre absence. Je n'ai pas eu le temps de réfléchir : j'ai dit que vous aviez décidé de la laisser en état jusqu'à votre retour, mais je suis sûre que Mike va quand même passer pour s'en occuper. L'un de ses parents va sans doute le déposer avec leur tondeuse, et il sait où Brett a caché la clé, au cas où il se retrouverait à la porte. J'ai eu peur qu'il entre sans que vous soyez prévenus, alors je suis venue.

Grady fit trois pas vers elle, et posa un baiser sonore sur sa joue.

— Madame Harmon, je vais parler au service de recrutement pour qu'on vous fasse entrer dans la police. Vous raisonnez comme une vraie professionnelle.

Elle se mit à rire en agitant les mains, visiblement ravie de ce compliment.

— En fait, j'ai retiré la clé hier, enchaîna Grady. Personne n'entrera ici, à moins de forcer la porte.

— Vous allez prendre le petit déjeuner avec nous, proposa Susan.

— Oh, merci beaucoup, mais je préfère vous laisser tous les trois. Après ce que vous avez enduré, vous avez besoin d'être tranquilles. De toute façon, je vais à l'église.

En l'entendant pousser un gros soupir, Susan comprit qu'elle avait réellement eu peur pour eux.

— Je vais rentrer le journal, dit la brave petite femme avec un entrain nouveau. Ensuite, je m'en irai, et je reviendrai demain soir, vers 6 heures. Si vous avez besoin de quelque chose, appelez-moi.

Après avoir retiré son omelette du feu, Susan vint l'embrasser à son tour.

— Merci, madame Harmon. On ne pourrait pas faire tout ça sans vous.

— Oh, je suis contente de vous aider !

— Vous êtes drôlement intelligente, déclara soudain Brett.

En le voyant tout rouge et Mme Harmon tout émue, Susan comprit qu'il ne s'était jamais montré aussi familier, jusqu'ici.

Grady raccompagna Mme Harmon à sa voiture, puis vint les rejoindre à table. Cette fois, il avait son portable avec lui.

Tout en le servant, Susan demanda :

— Comment l'avez-vous trouvée ? Mme Harmon, je veux dire.

— Je me suis adressé à une agence. J'ai reçu une demi-douzaine de candidates, mais j'ai vite compris que c'était elle qu'il nous fallait.

— Je l'aime beaucoup.

— Elle a bien pris soin de nous, hein, Brett ?

— Oui… Mais, maintenant, on a maman.

Ils se regardèrent en silence, encore stupéfaits par la chance inouïe qui les avait réunis. Ils se souriaient, mais Susan sentait les larmes lui piquer les yeux.

Grady se secoua le premier, et se mit à manger. Sa femme et son fils l'imitèrent et, peu à peu, Susan réussit à reprendre le contrôle de ses émotions.

— C'était délicieux, dit Grady quand ils eurent terminé. Mes compliments à la cuisinière.

Sautant sur ses pieds, il se mit à débarrasser la table, et Brett se hâta de l'imiter. Quand elle voulut les aider, son mari lui fit signe de se rasseoir.

— Aujourd'hui, je crois que tu devrais juste te détendre. Repose-toi, habitue-toi à être ici. Le journal est sur la table de l'entrée.

— Je croyais que tu voulais attaquer le dossier Drummond.

— Seulement quand tu seras prête à le faire. Je ne veux pas que tu te sentes sous pression. Après tout, nous avons toute une semaine devant nous.

Il disait ça pour elle, mais elle savait bien qu'il était impatient de découvrir qui avait voulu détruire leur famille. Elle aussi, d'ailleurs, avait hâte de connaître la réponse.

— Il nous faudra peut-être toute la semaine pour trouver une piste, dit-elle très fermement. Dès que j'aurai pris ma douche, j'aimerais qu'on finisse de regarder le calendrier, puis qu'on attaque les dossiers comptables.

Elle vit le regard de Grady s'illuminer, et se sentit pleinement récompensée.

Tout en montant l'escalier, elle entendit Brett demander à son père de quelle manière il pouvait se rendre utile, lui aussi.

A présent, c'était facile pour elle d'entrer dans « leur » chambre. Elle choisit des vêtements, fila dans la salle de bains et se prépara pour la journée. Elle venait d'enfiler des sandales bleu marine quand une tondeuse pétarada, juste sous la fenêtre. Elle eut un sursaut, puis se figea, aux aguets. Dehors, l'engin se mit à vrombir en faisant lentement le tour du jardin. Mme Harmon les avait prévenus juste à temps.

Susan sortit dans le couloir, et vit Grady venir à sa rencontre. Il la rejoignit en trois enjambées, et vint poser un doigt sur ses lèvres pour lui intimer le silence. Alors qu'elle croyait avoir tiré un trait sur sa sexualité, elle se sentit littéralement fondre au contact de sa main sur sa bouche. Son odeur d'homme lui sembla incroyablement érotique.

De ce côté-là, au moins, elle n'avait pas perdu la mémoire ! pensa-t-elle avec un brin d'ironie. Elle sentait son corps prendre vie d'une façon exaltante.

— Jim vient d'arriver avec Mike dans leur camionnette, chuchota Grady en lui prenant la main. Ils sont en train de tondre tous les deux.

— C'est ce que tu voulais dire quand tu parlais de sa générosité ? murmura-t-elle.

— Plus ou moins. Il est très gentil avec Brett, mais c'est la première fois qu'il tond notre pelouse.

— Il ne lui arrivait jamais de le faire quand il était notre voisin et que nous partions en vacances ?

Grady secoua la tête.

— Quand on s'en va, je m'adresse à une entreprise de jardinage.

— Toi, Grady, tu es le genre d'homme à vouloir tout assumer. Il est parfois plus difficile de recevoir que de donner, n'est-ce pas ?

Elle le vit pâlir légèrement.

— Tu m'as déjà dit ça…

— Ça ne m'étonne pas. Tu as l'impression qu'on t'enlève quelque chose si on a le malheur de te donner un coup de main.

— Susan ! s'écria-t-il.

Interdite, elle attendit la suite sans comprendre la raison de son émotion. Il ferma les yeux.

— Tu m'as manqué…, acheva-t-il à voix basse.

L'émotion la submergea. Ce désir qu'il avait de retrouver sa femme était aussi un désir physique. Et elle le partageait avec lui, bien qu'elle n'eût aucun souvenir de leurs relations passées. C'était comme s'il était en train de la séduire pour la première fois.

— Grady, souffla-t-elle, si tu veux qu'on couche ensemble, je suis d'accord.

8.

Grady crut tomber à la renverse. Quel homme refuserait une telle proposition, surtout de la part de sa propre femme ? Et pourtant, ce ne serait pas sa femme qu'il tiendrait dans ses bras. Pas tout à fait. Car son corps serait là mais pas son esprit, pas ses émotions.

Il ne doutait pas de son désir. Le courant était immédiatement passé entre eux, même quand elle était encore Martha Walters. Pourtant, si elle le rejoignait ce soir, dans l'intimité de leur lit, il ne serait pas son Grady, elle ne serait pas sa Susan. Un demi-bonheur valait-il mieux que rien du tout ?

Si elle ne retrouvait jamais le souvenir de leur amour, pourrait-il continuer ? En venir à l'aimer, *elle*, autant que sa femme disparue ?

— La camionnette est partie, papa !

Brett montait l'escalier en trombe. Comme Susan passait devant lui pour aller à la rencontre de leur fils, Grady resta paralysé par le chagrin qu'il lut sur son visage.

— C'était gentil de la part des Stevens, dit-elle.

Elle parlait d'un ton parfaitement naturel, comme s'il ne s'était rien passé, mais il savait que ce dernier échange l'avait profondément blessée.

— Je parie que Mike a détesté tondre la pelouse, dit Brett un peu tristement.

134

— Pourquoi ? demanda Susan.

— Son père n'arrête pas de le faire travailler. Il en fait dix fois plus que mes autres copains.

— M. Stevens a probablement vécu la même chose avec son propre père.

— C'est vrai. Mike dit que son grand-père était très pauvre et que son père a dû travailler très tôt.

— Voilà l'explication, déclara Susan. Il y a des habitudes dont on ne se défait pas.

— Ne te fâche pas, maman, mais tu m'as déjà dit ça !

— Pourquoi est-ce que je me fâcherais ?

— Parce que je n'arrête pas de te répéter : « Tu disais ça, avant. » Ça doit finir par t'énerver.

— Pas du tout ! Ça me donne l'impression de redevenir moi-même.

— Je t'aime, m'man.

— Moi aussi, je t'aime, mon grand. On descend ?

— Ouais. Tu viens, p'pa ?

— Dans une seconde. Je n'ai pas fini de discuter avec ta mère. Tu veux bien aller allumer l'ordinateur ?

— D'ac' !

Ils étaient seuls de nouveau. Susan leva les yeux vers lui. Elle portait un petit pull de coton bleu pâle et un short en jean — rien de provocant, mais, parce que c'était elle, il sentit son cœur battre comme un fou.

— Quand je t'ai ramenée ici, dit-il à voix basse, j'avais peur de te brusquer, et je n'ai pas osé te demander de venir dans mon lit. C'est la seule raison. Ta franchise vient de me faire comprendre que le problème n'était pas là.

— Mais il y a d'autres problèmes, conclut-elle à sa place. Je sais. Bien sûr que je sais ! Peut-être, si on s'habituait déjà à... ?

Elle esquissa un geste timide, suggérant qu'elle voulait venir contre lui. Elle avait besoin de réconfort. Lui aussi. Il lui ouvrit les bras en chuchotant :

— Ce soir, nous repartirons de zéro.

Elle s'accrocha à lui en tremblant. Il la serra très fort, et la sentit peu à peu se détendre entre ses bras. La tenir de nouveau contre lui, c'était merveilleux. Magique. Inespéré…

— Pardonne-moi, dit-elle tout à coup en s'écartant, je ne peux pas m'empêcher de pleurer : j'ai mouillé ta chemise ; c'est ridicule.

Il n'avait jamais accepté l'idée qu'elle fût partie. Sentait-il qu'elle était encore là, quelque part, à attendre qu'il vînt la chercher ? Par le jeu de forces inconnues, elle lui était rendue et, même sans leurs souvenirs communs, il craquait pour elle comme au premier jour. Après six longs mois de solitude, il devait trouver un moyen de calmer son cœur affolé, d'attendre le soir. Si Brett ne s'était pas trouvé en bas…

— Tu ne comprends donc pas ? chuchota-t-il avec fièvre. Ces larmes veulent dire que tu es vivante ! Tu crois vraiment qu'elles me gênent ?

— A la longue, tu finiras par avoir envie de porter des vêtements secs ! murmura-t-elle en s'essuyant les yeux.

A cet instant précis, elle se comportait tout à fait comme l'ancienne Susan. Cette faculté de rire de tout, même de ses propres larmes, cet humour fantaisiste dans lequel se glissait parfois un commentaire rempli de finesse et de sagacité… Comme il l'aimait !

Il posa la main sur sa nuque et, ensemble, ils descendirent l'escalier. Brett leva la tête en les voyant, puis il se mit à sourire.

— J'ai chargé la première disquette, annonça-t-il. Ton calendrier est là aussi.

136

Il rayonnait de nouveau. Grady devina que cette expression de bonheur reflétait la sienne. Susan avait toujours été le soleil de leur existence. Si seulement le monde entier pouvait les voir en ce moment... Ce serait si bon de dire la vérité à Todd et Muriel ; ils l'aimaient aussi, ils avaient souffert terriblement en la croyant morte.

Grady sentit sa colère revenir. Ceux qui leur avaient fait ça allaient payer.

— Susan, regarde un peu ces tableaux, et dis-moi s'ils te suggèrent quelque chose. Ensuite, Brett et moi, on t'aidera à retrouver le sens de tes notes sur le calendrier.

Elle ouvrit de grands yeux, et feignit le désespoir avec une mimique franchement comique. C'était si typique de l'ancienne Susan que tout ce qui les séparait s'effaça un instant — mais cette impression ne dura pas car elle se mit à secouer la tête.

Grady approcha une chaise, et s'installa près d'elle.

— Qu'est-ce qui ne va pas ?

— Je ne peux pas.

— Donne-toi du temps. Essaie seulement.

— Non, je veux dire... je ne sais pas me servir d'un ordinateur.

Elle semblait presque paniquée. Alors qu'il cherchait encore une réponse, Brett prit la situation en main.

— Pas de problème, m'man : je te montre.

D'un air blasé, il approcha sa chaise à roulettes, s'installa devant le clavier.

— Mais qui t'a appris ? lui demanda Susan, interdite.

— Toi ! répondit-il tranquillement.

— C'est une blague ?

— Non. C'est facile ! C'est ce que tu me disais toujours.

— Alors, j'ai menti.

— Mais non ! Tu as commencé à me montrer des choses quand j'étais tout petit, pour me donner de l'avance sur les autres.

— Ne me dis pas que j'étais une maman-hélicoptère ?

C'était l'expression de Susan, son terme désapprobateur pour désigner ces parents qui se précipitent à la rescousse de leurs rejetons chaque fois qu'ils rencontrent une difficulté, au lieu de leur laisser un minimum d'autonomie.

Grady eut envie de rire, puis de pleurer. Sa femme, la mère de leur enfant était toujours là !

— M'man… Tu n'étais pas comme ça, je t'assure !

Brett plaisantait à moitié : il la taquinait avec un plaisir évident. C'était un moment comme ils en avaient tant vécus, un moment de bonheur à trois.

— Alors, dis-moi comment j'étais ! Non, non, je n'ai rien dit ! Je préfère ne pas savoir.

— Tu es bien plus intelligente que la mère de Rich Dunn. Et pourtant, elle, elle est chirurgien !

— C'est vrai ? Tu crois vraiment que je suis intelligente ?

— M'man ! grogna-t-il. Tu vois ces touches avec des flèches ? Elles font défiler le contenu de l'écran. Si tu appuies sur cette touche, tu descends directement à la fin du fichier ; sur celle-ci, tu remontes droit au début. Essaie.

En quelques minutes, il avait réussi à lui donner un début d'assurance. Elle se tourna vers Grady.

— Bon. Qu'est-ce que je suis censée chercher ?

— Tu as pris ton poste en mars, mais tu n'as commencé à t'occuper du dossier Drummond que fin juillet. Tu avais douze disquettes ; je les ai copiées avant de donner les originaux au FBI. Malheureusement, ton calepin a été détruit avec ta voiture. Ta première note sur le calendrier nous dit : *Dossier 1 Vérifier V, C, P.* J'ai d'abord supposé que c'étaient les initiales de différentes entreprises, mais ça n'a pas l'air d'être ça. Du début du mois d'août jusqu'à la date de l'explosion, la plupart des cases contiennent un numéro de dossier et une note te rappelant de vérifier certaines choses — mais je ne sais pas ce dont il s'agit parce que tu désignais tout par des initiales. A moins que ce ne soit un code basé sur les lettres de l'alphabet.

— J'apportais le calendrier ici, avec moi ?

— Non. Tu allais dans la cuisine pour faire tes annotations sans le décrocher.

— C'est un drôle de procédé…

Elle fit défiler le tableau, remonta au début, secoua la tête.

— Grady, je n'ai pas la moindre idée de ce que je suis en train de faire.

— Je sais…

Saisi d'une inspiration subite, il se dirigea vers la bibliothè-que. C'est là qu'elle rangeait tous ses anciens livres de cours, à portée de main. Il saisit celui qu'elle consultait le plus souvent, et revint le lui tendre.

— C'était ta bible. Regarde : tu as noté une foule de choses dans les marges. Il y a peut-être assez d'éléments là-dedans pour t'aider à comprendre ce que tu vois à l'écran ?

Il la vit hésiter devant l'épaisseur du volume, puis elle hocha la tête.

— Je veux bien essayer.

— Je vais t'aider, m'man !

— Merci, mon grand.

— Je vous laisse travailler. Je vais dans la cuisine passer quelques coups de fil.

Elle fut contente de se retrouver seule avec Brett. Il lui était impossible de se concentrer quand il la regardait !

Ses yeux se posèrent soudain sur une enveloppe vierge sur le bureau.

— Qu'est-ce que c'est ?

— Des informations au sujet de ta firme comptable. Des noms, des numéros de téléphone. Papa espérait que ça te rappellerait quelque chose.

— Oh, Brett... Je crois que je sais ce que Noé a ressenti quand on lui a demandé de construire une arche, alors qu'il ne savait même pas ce que c'était.

— Tu te souviens de l'histoire de Noé ?

— Oui. C'est bizarre, hein ? Le médecin au Foyer m'avait prévenue que les amnésiques gardent souvent des informations de ce genre, alors que les souvenirs personnels s'envolent.

— Tu vas te souvenir de papa. Et puis, la comptabilité, ça ne doit pas être aussi difficile que de construire une arche.

— N'oublie pas que Noé avait de la main-d'œuvre !

— Toi aussi, tu en as. On va t'aider, tu vas voir !

Son fils avait une telle confiance en l'avenir ! Un peu honteuse de ses propres doutes, elle le serra contre elle en murmurant :

— C'est comme pour Noé, en effet. Ce sont ses fils qui l'ont aidé... Bon ! Voyons ce que dit la table des matières.

Elle saisit le gros volume, l'ouvrit à la fin, et parcourut du regard les titres des chapitres.

— « Découvrir une fraude » ! s'écria-t-elle bientôt.

— C'est exactement ce qu'il te faut. Papa pense que quelqu'un a truqué les comptes de M. Drummond, et que tu l'as découvert.

— Si c'est le cas, ce ne sera pas facile de retrouver des traces.

— Pourquoi ?

Le téléphone de la maison sonna, mais ils n'y prêtèrent aucune attention ni l'un ni l'autre.

— Réfléchis à tous les éléments qu'il faut pour créer un hôtel comme L'Etoile. Du premier croquis de l'architecte à la fin du chantier, en passant par le financement, le choix des entreprises…

— Oui. Le bâtiment est terminé, maintenant, et papa l'aurait su s'il y avait eu un problème.

— Oui, sûrement. Donc, si j'ai vraiment trouvé quelque chose de louche…

— … c'est encore caché parce qu'ils t'ont tuée avant que tu ne puisses en parler à quelqu'un !

— Ce devait être un gros morceau pour qu'ils aillent jusqu'à poser des bombes.

— Papa est sûr que l'homme que tu as remplacé a été assassiné.

— Il me l'a dit, oui. Tu te rends compte, Brett, il suffit que personne ne sache que je suis en vie. Si on me laisse le temps de redécouvrir quelque chose…

— Fonce, maman !

Son euphorie momentanée retomba. Oh, pourquoi fallait-il tout reprendre à zéro ? Pourquoi ne pouvait-elle pas se souvenir, tout simplement ?

Frustrée, elle ouvrit le chapitre traitant des fraudes.

— Voyons les différentes catégories de fraude dont ils parlent. Fiscale, commerciale, bâtiment…

— Tu crois que c'est une de celles-là ?

— Sans doute. Je ferais bien de me mettre à lire.

— Je viens d'avoir une idée. Je peux essayer quelque chose sur l'ordinateur, pendant que tu es occupée avec le livre ?

— Oui, bien sûr. On change de place.

Avant de se plonger dans le texte, elle regarda, fascinée, les doigts de son fils courir sur le clavier.

— Qu'est-ce que tu fais ?

— Si tu veux retrouver un mot, tu cliques sur Edition, tu tapes le mot, et l'ordinateur le met en brillant chaque fois qu'il le rencontre.

— Quel mot veux-tu retrouver ?

— Tes lettres : *V, C, P.*

— Bonne idée ! s'écria Susan qui se sentait gagnée par l'excitation de son fils.

Quelques secondes plus tard, il fit la grimace.

— Fichu. Il n'a pas trouvé cette combinaison.

— Et si tu demandais juste le V ?

— Il s'arrêterait à chaque mot qui contient un V.

— Montre-moi.

Il s'exécuta.

— Tu vois ? Certains V sont au milieu, d'autres à la fin…

— Remonte au début, s'il te plaît. Je voudrais voir les mots qui commencent par un V.

Il y en avait une douzaine : des verbes pour la plupart.

— Bien, dit Susan en serrant affectueusement le bras de son fils. Je vais me mettre à lire.

Elle s'installa confortablement, et se plongea dans la description des mécanismes typiques de fraude. En marge, elle trouvait de nombreuses notes écrites de sa main. Certaines des affaires décrites semblaient l'avoir particulièrement intéressée. Surprise de trouver le sujet passionnant, elle perdit toute notion du temps. Quand le téléphone sonna de nouveau, elle l'entendit à peine.

Bien plus tard, lorsqu'elle eut terminé le chapitre, elle ferma le livre et se tourna vers Brett. Il était en train d'imprimer quelques pages. Le petit cadran au coin de l'écran indiquait 15 h 10.

— Ton père doit se demander ce que nous sommes devenus ! dit la jeune femme en se levant. Viens, on va le rejoindre et préparer quelque chose à manger.

— Quand il a passé la tête par la porte, tout à l'heure, il mangeait un sandwich.

142

Elle n'avait même pas senti sa présence ! Et lui s'était abstenu de lui parler, sans doute pour ne pas la déconcentrer…

— En tout cas, j'ai faim ! Tu veux un sandwich, toi aussi ?

— Ouais.

— Oui, s'il te plaît, corrigea-t-elle.

Puis, tout de suite, elle rougit.

— Je suis désolée, Brett, c'est sorti tout seul.

Il la regardait avec un large sourire.

— Pour quelqu'un qui ne se souvient pas de grand-chose, tu viens de parler exactement comme avant !

Oubliant sa gêne, elle lui rendit son sourire.

— Nous avons déjà abordé la question du langage, c'est ça ? Disons que tu as encore des progrès à faire…

— Ouais. Je veux dire : oui, m'man.

Elle ne put s'empêcher de venir l'embrasser.

— Qu'est-ce que tu as imprimé ?

— J'ai parcouru tout le fichier en cherchant les noms commençant par un V, un C ou un P. Ensuite, je les ai collés bout à bout pour faire une liste.

— Mais c'est génial ! Montre.

— Je jetterais bien un coup d'œil, moi aussi.

En entendant la voix de son mari, Susan sentit un long frisson la parcourir. Pendant un instant, elle eut même du mal à respirer. Lentement, elle se retourna. Il s'avançait vers eux, portant un plateau chargé de sandwichs, de chips et de boissons. Il souriait.

— J'aurais pu préparer à déjeuner, murmura-t-elle.

— Ce que tu faisais était bien plus important. De toute façon, j'aime m'occuper de ma famille.

— Merci, Grady.

Elle choisit un sandwich, et Brett s'empressa de l'imiter.

— Ouais… je veux dire : merci, papa.

Ils s'installèrent tous les deux sur le canapé pour dévorer leurs sandwichs et partager les chips, tandis que Grady se plongeait dans la liste de mots que son fils avait imprimée.

Ils terminèrent leur repas en un temps record, tant ils étaient affamés. Susan allait ouvrir un soda quand la sonnette de la porte d'entrée retentit.

Elle se figea, les yeux levés vers Grady. Il posa tranquillement ses papiers sur le bureau, et jeta un coup d'œil à travers la fente du volet.

Quand il revint vers eux, Susan fut frappée par l'expression dure et tendue qui se lisait sur son visage.

Il sortit une clé de sa poche, ouvrit un tiroir du bureau, et en sortit… un pistolet. Susan était terrorisée.

— Ne bougez pas ! murmura-t-il.

Puis il quitta la pièce sans bruit.

Susan échangea un regard choqué avec Brett. Son cœur battait si vite que c'était presque douloureux. Spontanément, elle passa le bras autour des épaules de son fils.

— Papa doit penser que quelqu'un veut forcer la porte, souffla-t-il. Ce serait stupide parce qu'il y a un écriteau disant que notre maison a une alarme. N'importe quel crétin doit savoir que ça va sonner au poste de police. En plus, après ce qui t'est arrivé, papa a fait installer une petite caméra qui prend une photo chaque fois qu'on sonne à la porte.

— Malheureusement, murmura-t-elle, certains crétins sont prêts à prendre tous les risques.

Grady semblait indestructible… mais le pire pouvait arriver, même aux meilleurs et aux plus prudents des policiers.

Une nouvelle sonnerie les fit sursauter. C'était la porte de derrière, cette fois. Susan serra son fils plus fort, tout en tendant l'oreille. Mais elle n'entendit plus rien.

Quand Grady revint enfin, elle avait l'impression qu'une éternité s'était écoulée.

Il passa la porte silencieusement, et se tint devant eux. Elle se dit que l'expression de son visage aurait terrifié leurs adversaires. Sans un mot, il remit son arme dans le tiroir, puis le verrouilla.

— Qu'est-ce qui se passe, papa ?

— Deux types viennent de faire le tour de la maison, répondit-il. Ils étaient habillés en complets noirs, et tenaient chacun une bible à la main : ils voulaient se faire passer pour des Témoins de Jéhovah.

— Comment sais-tu qu'ils ne l'étaient pas ? demanda Susan.

— Ils étaient trop âgés, pour commencer. Ce sont surtout des jeunes qui font ces tournées. Et puis, ils ne portaient pas les plaques d'identification habituelles. Dans la police, on sait que les Témoins ont des règles de conduite très strictes, et qu'ils se présentent uniquement à la porte principale. Ces deux-là se sont trahis en faisant le tour pour sonner derrière.

— Personne d'autre ne les a vus ?

— Je ne pense pas, non. Je les ai surveillés de là-haut. Ils ont patienté un peu, et ils sont repartis en sautant par-dessus la clôture et en traversant le jardin des Hanes pour rejoindre l'autre rue. Là, je les ai perdus de vue.

— S'ils ne se sont intéressés qu'à notre maison, est-ce que ça veut dire…

— Non, coupa Grady. Je suis persuadé qu'on te croit toujours morte. Les deux malfrats de tout à l'heure venaient chercher quelque chose de bien précis.

— C'est comme je t'ai dit, m'man. Notre écriteau pour l'alarme les a fait fuir.

— S'ils n'avaient pas fait le tour, je serais d'accord avec toi, dit Grady.

Le gamin le regarda sans comprendre.

— Mais alors, pourquoi… ?

— Pour savoir si Mme Harmon était dans la maison. Le garage est fermé : ils ne pouvaient pas savoir si sa voiture était à l'intérieur. Pour entrer sans déclencher l'alarme, ils avaient besoin qu'elle leur ouvre la porte.

Susan était aussi perplexe que Brett.

— Le fait qu'un policier habite ici, ça devrait être dissuasif, non ?

— Je me suis posé la même question, et je ne vois qu'une réponse : ils ont appris que nous partions en vacances, Brett et moi, et ils ont pensé que c'était le moment de tenter le coup.

— Mais vous avez dû faire d'autres voyages, depuis six mois. Pourquoi ne se sont-ils pas attaqués à Mme Harmon plus tôt ?

Voyant que Grady ne répondait pas, Brett se chargea d'expliquer :

— Après l'explosion, on n'est plus partis en vacances, papa et moi.

— Même pour aller voir tes cousines en Californie ? demanda Susan, stupéfaite.

— Non.

— Tu veux dire que la maison n'a jamais été vide ?

— Non, répondit Grady. Comme je te l'ai dit, je n'ai pas été le meilleur des pères, depuis six mois.

— Ce n'est pas vrai, p'pa…

Susan tendit la main, luttant pour contrôler une bouffée de colère. Qui avait osé bouleverser ainsi leur vie ?

— Arrête, Grady, dit-elle d'une voix très nette. Tu n'as aucun reproche à te faire. Nos vies ont volé en éclats, et chacun de nous a réagi de son mieux… Non, ce qui me fait peur, c'est l'idée que quelqu'un ait pu surveiller tes mouvements, attendre le bon moment…

Repoussant ses cheveux en arrière, elle se mit à arpenter la pièce en réfléchissant tout haut.

— J'ai du mal à l'admettre, mais, après tout, tu as peut-être raison : si un voyou sorti de prison cherchait à poser une bombe ici ? Ou alors quelqu'un qui sait ce qui m'est arrivé et qui a envie de vous expédier dans l'autre monde, vous aussi ? Tu m'as dit que c'était arrivé à la famille d'un juge, à Reno.

Grady répondit d'un ton apaisant :

— Si quelqu'un m'en voulait à ce point, il aurait déjà trouvé un moyen de nous nuire. Non, mon instinct me dit qu'il s'agit de tout autre chose.

— Mais, papa, même si quelqu'un surveillait la maison, il ne pouvait pas savoir qu'on avait l'intention de partir. On a tout décidé hier : il n'y a que mes copains qui sont au courant.

Susan attendit la réponse de Grady. Mais il se contenta de sortir son portable de sa poche sans regarder son fils, et la jeune femme frémit en songeant à ce que cela signifiait.

— Ici, Corbett. Le Commissaire Willis, s'il vous plaît.

— Qui est-ce ? souffla Susan à l'oreille de Brett.

— Le patron de papa...

Grady leur tourna le dos, et s'éloigna de quelques pas. La conversation dura longtemps ; Susan n'en saisissait que des bribes, et son anxiété ne cessait de croître. Elle admira le calme de Brett qui trompait l'attente en jonglant avec des cartes sur l'écran de l'ordinateur !

Cherchant à se changer les idées, elle prit les papiers abandonnés par Grady, et se mit à étudier les noms qu'il avait trouvés dans le dossier. Au moins, Brett n'était pas comme son oncle qui n'avait jamais su distinguer un adjectif d'une préposition — ce qui ne l'avait pas empêché de devenir chef d'entreprise, d'ailleurs...

Todd !

— Je viens de retrouver un autre souvenir de mon frère, souffla-t-elle en serrant le bras de Brett.

— Quoi ? Quoi ?

Elle chuchota une explication qui le fit rire.

— Quand on dira ça à papa…

Grady était toujours absorbé par sa conversation téléphonique, de l'autre côté de la pièce. Impatients, ils se tournèrent vers lui. Entre l'inquiétude qui tenaillait Susan et ce dernier éclair de souvenir, la tension devenait insupportable.

Elle fit un effort pour se reprendre. Tant qu'elle ne pourrait pas parler à Grady, elle se concentrerait sur la liste de Brett. Celle-ci comportait moins de noms qu'elle ne s'y attendait. A force de les étudier, elle finit par trouver trois éléments concordants : ventilateurs, contreplaqué, peinture.

— Brett ? Remonte au début du dossier, et trouve-moi le mot « contreplaqué ».

— D'ac.

Le garçon fit disparaître le jeu de cartes, et le tableau s'afficha de nouveau sur l'écran. Bientôt, le mot demandé apparaissait en surbrillance.

— Il n'y a pas de contexte : il fait juste partie d'une liste.

— Va voir « peinture ».

Brett s'exécuta.

— Voilà « peinture ». Il y a « vernis » entre parenthèses.

— Bon, essaie le dernier : ventilateurs.

— « Ventilateurs », répéta-t-il en tapant le mot. Le voilà. Entre parenthèses, il y a « 210p3pm ».

Susan se mordit la lèvre, indécise. Les trois matériaux étaient enfouis parmi tant d'autres… Comment être sûre qu'ils eussent un rapport avec les initiales ?

— Tu as fait du bon boulot, dit-elle à son fils.

— Tu crois que ça va mener quelque part ?

— Peut-être. En tout cas, grâce à toi, on tient une piste. Je ne me souviens pas d'avoir été comptable, mais je sais qu'il s'agit surtout de comparer les entrées et les sorties et de voir si tout s'équilibre.

Revenant au calendrier, elle demanda tout à coup :

— Brett, comment est-ce qu'on trouve le dossier 2 ? J'avais noté ici de vérifier les « E ».

Quand il lui eut fait une démonstration, elle lui demanda de faire une recherche sur les « E ». Avec une voyelle aussi courante, le processus fut très long. Le premier nom fut « escalier ». Combien d'autres « E » pouvait-il y avoir dans ce seul fichier ?

Grady éteignit enfin son portable, et ils se tournèrent tous deux vers lui.

— Les disquettes devront attendre, dit-il. Vous voulez bien éteindre l'ordinateur ? Il faut qu'on parle.

L'entrée en matière n'était pas rassurante !

Avec des gestes nerveux, Susan rassembla sur le plateau les restes de leur repas.

— Qu'est-ce qui se passe, papa ? demanda Brett.

Grady reprit le siège qu'il occupait un peu plus tôt, et se pencha vers eux, les coudes sur les genoux, les mains jointes.

— Je vais devoir vous envoyer dans un endroit sûr, tous les deux.

— Non ! crièrent-ils à l'unisson.

— Je ne veux pas ! ajoura Brett avec force.

— Moi non plus ! déclara Susan. Nous avons déjà été séparés une fois par ces monstres. Notre famille a traversé l'enfer ; maintenant que nous sommes réunis, nous allons rester ensemble.

— Je ne peux pas prendre le risque de vous perdre, dit Grady d'une voix sans timbre.

Elle avait besoin de se rapprocher de lui pour continuer cette conversation. Elle se laissa glisser sur le sol, et lui prit les mains.

149

— Tant que nous serons ensemble, nous ne nous perdrons pas, murmura-t-elle avec toute sa conviction. On ne te quittera pas, Grady.

— Ouais, p'pa ! Je ne suis plus un bébé.

Dans un mouvement qui la stupéfia car il révélait une profonde angoisse, Grady se leva d'un bond, s'agrippa au dossier de sa chaise, et posa sur eux un regard brûlant.

Susan crut que tout était perdu.

— Si vous restez ici, dit Grady de la même voix blanche et chargée d'angoisse, il faut me promettre de faire exactement ce que je vous dirai.

— On promet !

Heureusement, Brett avait parlé pour eux deux, car Susan se sentait incapable de prononcer le moindre mot. Maladroitement, elle se releva, reprit sa place sur le canapé.

— Papa, tu sais quoi ? M'man s'est encore souvenue de quelque chose à propos de Tonton.

Grady fixa sur elle un regard scrutateur.

— Au temps où tu vivais encore avec tes parents ?

— Non — enfin, pas exactement. Je me suis rappelé brusquement qu'il avait toujours été nul en grammaire. Alors que notre fils est un crack !

Elle sourit, espérant le détendre un peu, mais son visage demeura de marbre.

— Ton inconscient doit bloquer certains souvenirs pour t'empêcher de revivre le traumatisme.

— Sans doute, mais...

Mais s'il allait sauter à une autre conclusion ? S'il se mettait en tête qu'elle avait cessé de l'aimer « avant sa mort », et que c'était la raison pour laquelle elle ne se souvenait pas de lui ? Elle se sentait sûre du contraire, mais comment le rassurer ?

— Est-ce que tu te rends compte, reprit-elle en choisissant bien ses mots, qu'avant de revenir ici, je n'avais pas retrouvé

150

un seul souvenir ? Pas un seul en six mois ! Et, depuis que je suis avec vous, j'ai déjà récupéré quatre images ! Le reste va revenir peu à peu, je le sens. C'est aussi pour ça que je refuse d'être séparée de toi.

Il y eut un silence tendu, puis Grady sortit son portable de sa poche et passa un autre coup de fil — cette fois, sans quitter la pièce, sans leur tourner le dos.

Susan échangea un sourire avec Brett, son complice.

Grady devait être quelque peu surpris que sa femme et son fils lui résistent aussi farouchement.

— Bien ! dit-il quand il eut terminé sa conversation téléphonique. Je ne comptais révéler ton retour à personne, mais les circonstances ont changé, et certains de mes collègues doivent, à présent, connaître la vérité. Je peux me tromper, mais je pense que celui qui croyait t'avoir tuée redoute encore d'être découvert. Il a probablement envoyé ses gorilles voir si j'avais gardé des copies de tes dossiers comptables, soit en version papier, soit sur le disque dur ou des disquettes. Si nous voulons les arrêter et découvrir qui les a envoyés, il faut les prendre en flagrant délit à l'intérieur de la maison.

Comme ils ont besoin de la présence de Mme Harmon pour entrer, nous allons la faire venir. Elle arrivera sous peu, avec deux membres d'un commando SWAT cachés dans sa voiture. Ils resteront ici avec nous, jusqu'à la fin de la semaine si c'est nécessaire. Si le téléphone sonne pendant que Mme Harmon est ici, elle répondra. Si c'est un faux numéro ou si l'on raccroche, nous saurons qu'il faut s'attendre à une visite. S'ils comptent vraiment profiter de ma prétendue absence, ils ne vont pas tarder à agir. D'autres membres du SWAT et des policiers en civil seront postés dans les alentours. Ils seront aux aguets jour et nuit, ici et chez Mme Harmon.

Susan se leva.

— Que veux-tu que nous fassions ? demanda-t-elle.

— A partir de maintenant, vous resterez tous les deux dans notre chambre. Nous aurons besoin de la chambre de Brett, qui a la meilleure vue sur l'arrière de la maison. Mes collègues prendront des tours de garde, à l'étage et ici ; ils se serviront de la chambre d'amis pour se reposer à tour de rôle.

— Et toi, où seras-tu ?

— J'assurerai aussi des quarts de surveillance. Quand ce sera mon tour de dormir, je viendrai vous rejoindre.

Autrement dit, sa première nuit avec son mari était remise à plus tard. Repoussée indéfiniment… L'idée de devoir attendre une semaine ou plus encore la désolait — et son impatience lui fit prendre conscience de la force de son désir.

« Je suis amoureuse, pensa-t-elle, abasourdie. Amoureuse d'un homme qui a été mon mari, qui l'est encore mais dont je ne me souviens pas. »

Vite, elle se retourna vers Brett.

— Viens, mon cœur. Nous avons du travail à l'étage.

9.

— Papa ?

— Chut. Il est 4 heures du matin !

Grady aurait dû savoir qu'il ne pourrait pas se glisser dans la chambre sans réveiller Brett.

Confortablement installé sur un matelas pneumatique près de la porte, son fils montait la garde.

Une autre voix s'éleva dans l'ombre :

— Je ne dors pas. Viens te coucher, Grady.

Il ferma les yeux. C'était comme si le fantôme de l'ancienne Susan venait de lui parler du fond de cette chambre obscure ; celle qui l'attendait toujours quand il ne rentrait qu'au milieu de la nuit à cause d'une enquête difficile. Dès l'instant où il sentait ses bras se refermer sur lui, il oubliait le danger, les aspects sordides de son travail. Tout s'effaçait ; il n'y avait plus que le corps tiède et doux de Susan contre le sien.

Tout cela était si loin !

Il traversa la pièce, et vint s'allonger près de sa femme en gardant son arme en bandoulière et son portable dans sa poche, prêt à se relever instantanément si l'équipe de surveillance lui signalait un mouvement près de la maison.

— Je n'ai entendu ni le téléphone ni la sonnette de l'entrée, murmura-t-elle.

— Tout est tranquille, mais ces types vont revenir, tôt ou tard. Les collègues le sentent comme moi.

— Mme Harmon tient le coup ?

Il se retourna sur le côté, avide de sa chaleur.

— Elle dit que c'est excitant, qu'elle a l'impression d'être dans un film.

— Et toi, tu n'en crois pas un mot ?

— Je préférerais ne pas avoir à me servir d'elle.

— Mets-toi à sa place, Grady. Ça la soulage sans doute de pouvoir vous aider, d'agir enfin pour faire triompher la justice. Tu ne la priverais pas de cette joie ?

Susan réagissait exactement comme autrefois. Elle avait toujours su le réconforter, dire le mot juste au bon moment. A cet instant précis, il ne restait plus en elle aucune trace de Martha. Sans l'avoir décidé, Grady posa la main sur son épaule.

— Non, tu as raison, murmura-t-il.

Doucement, il glissa la main sous sa chemise de nuit pour la caresser. D'un mouvement naturel et très tendre, elle posa la tête au creux de son bras. Le parfum de ses cheveux blonds fraîchement lavés envahit Grady ; son cœur se gonfla à l'étouffer, et il se sentit chavirer dans les émotions les plus primitives. Si Brett ne s'était pas trouvé aussi près, il aurait fait l'amour à sa femme…

Six mois plus tôt, après la cérémonie funéraire, il était revenu dans cette chambre avec la certitude de ne plus jamais aimer, de ne plus jamais connaître le plaisir sexuel. Et voilà qu'avec le retour de sa femme, son désir renaissait, intacte…

— Tout va bien se passer, souffla-t-elle. Dors un peu. J'entendrai ton portable s'il sonne.

— Quelques minutes, alors…

Quand il se réveilla, une multitude de points lumineux traversaient les volets roulants. Il faisait jour. Il sentait une bonne odeur de café. Se redressant d'une détente, il découvrit sa femme et son fils installés autour d'une table pliante, en train de prendre leur petit déjeuner, à quelques pas du lit.

— Salut, p'pa ! lança Brett avec un large sourire.

— Bonjour, Grady. Viens manger pendant que c'est chaud.

Elle avait préparé son petit déjeuner préféré. Machinalement, il passa la main sur ses joues râpeuses.

— Tu pourras te raser après, dit-elle aussitôt. Ton collègue Dutton dit que tu es censé le relever dans vingt minutes. On t'a laissé dormir le plus longtemps possible...

Il se leva d'un bond, et vint les rejoindre. A quoi bon s'en vouloir d'avoir cédé au sommeil ? De toute évidence, il n'y avait pas eu d'alerte pendant la nuit, et ce répit lui avait fait un bien immense.

Il mangea à toute vitesse, et se dirigea vers la salle de bains, après avoir embrassé Susan dans le cou.

— Merci, c'était parfait !

— Je suis contente.

Quand il revint dans la pièce, quelques minutes plus tard, en frottant ses cheveux humides, Brett regardait la télévision, et Susan faisait le lit. Elle portait un short blanc et un haut violet qui lui avait toujours particulièrement plu. Elle ne semblait guère plus âgée que le jour de leur première rencontre, dix-sept années plus tôt, quand elle l'avait subjugué avec ses cheveux blonds claquant au vent, ses yeux bleus lumineux et son sourire radieux.

En la regardant, ce matin, il éprouvait exactement les mêmes émotions que ce jour-là.

Elle dut sentir son regard sur elle, car elle se redressa.

— J'ai préparé le petit déjeuner pour tes collègues, dit-elle.

— Ils ont dû apprécier.

— Je crois qu'ils étaient surtout en état de choc. Ils ont tous les deux assisté à ma cérémonie funéraire.

Avec un petit rire, il vint prendre le plateau du petit déjeuner, et se dirigea vers la porte.

— Beaucoup de gens vont être en état de choc quand ils découvriront que tu es toujours en vie.

— Papa ?

— Oui, Brett ?

— Tu vas bien ?

— Impossible d'aller mieux. Et toi ?

— Super.

— Je suis content que tu sois là pour nous aider. Je sais que je peux compter sur toi.

— Merci, p'pa !

Depuis combien de temps n'avait-il pas vu un sourire pareil sur le visage de son fils ? Ebloui, il resta un instant à les contempler tous les deux. Susan s'était allongée en travers du lit pour potasser son livre de comptabilité. Elle le regarda dans les yeux, et lui lança :

— Fais bien attention à toi, Grady.

Etait-ce une impression, ou cette petite phrase contenait-elle une promesse ?

— Compte sur moi ! répliqua-t-il.

Tout en dévalant l'escalier, il sentit à quel point il leur était reconnaissant, à Brett et à elle, d'avoir refusé de partir. Il voulait les garder là, tout près de lui !

Après avoir déposé le plateau dans la cuisine, il se dirigea vers le petit salon pour relever Bob Dutton, posté à la fenêtre. Le policier, une vraie armoire à glace, se leva en le voyant entrer.

— Ta femme est une cuisinière remarquable. Tu es un sacré veinard !

— Encore plus que ça, affirma-t-il avec un sourire.

Bientôt, tous les collègues seraient au courant, pensa-t-il avec une sorte d'euphorie. Ils sauraient que la femme de Grady Corbett était ressuscitée. C'était invraisemblable, et pourtant, son adorable, sa superbe épouse se trouvait en ce moment même au premier étage, tendue de toutes ses forces vers le souvenir de leur amour. Il en était sûr, à présent. Et, ce soir…

— Le téléphone.

La voix brève de Bob le ramena sur terre. Il attendit, le cœur battant. Quand les sonneries cessèrent, il décrocha pour écouter un éventuel message.

— On a raccroché, murmura-t-il.

— C'est parti ! lança son collègue. Quelqu'un vient de se mettre en chasse. On fait venir Mme Harmon tout de suite, et je te parie que, d'ici à ce soir, on aura mis la main sur ces tordus.

— Je préviens ma famille, et je reviens. Je pense que tu pourras te reposer un peu avant qu'il se passe quelque chose.

Grady monta l'escalier quatre à quatre, et passa d'abord dans la chambre de Brett pour mettre Tony Garcia au courant. Celui-ci hocha la tête avec satisfaction.

— Je suis prêt à les recevoir. Quand tu auras un moment, remercie ta femme pour la conversation et le repas. En plus de tout le reste, elle fait du très bon café. Tu es un veinard !

Ses yeux pétillaient amicalement. Grady lui sourit avec affection. Il savait que Tony n'avait pas eu la même chance que lui : sa femme n'avait pas pu supporter les tensions liées à son métier, et elle avait demandé le divorce.

Susan, quant à elle, n'avait jamais remis en cause sa vocation. Bien que profondément bouleversée, à l'époque de sa blessure par balles, elle ne lui avait pas demandé de quitter la police.

Pour la première fois, il se demanda si sa décision de travailler elle-même n'était pas liée à ses peurs : en prenant un emploi, elle s'était éloignée de la maison, échappant ainsi à un univers chargé d'appréhensions. Elle n'était pas femme à l'obliger à choisir entre elle et sa carrière… Etait-ce pour lui cacher son inquiétude qu'elle n'en avait jamais discuté avec lui ?

— Je lui transmettrai le message, Tony, murmura Grady, un peu étourdi par ce flot d'idées nouvelles.

Puis il passa la tête dans l'entrebâillement de la porte pour demander à Susan et à Brett d'attendre son feu vert avant de quitter la chambre.

Sa femme se redressa brusquement.

— Tu crois qu'ils viendront aujourd'hui, alors ?

— Je l'espère.

— Fais attention, p'pa !

Bientôt, Grady se retrouva seul dans le petit salon, et attendit patiemment. Vingt minutes plus tard, la voiture de Mme Harmon vint se ranger dans l'allée. Il entendit la porte du garage s'ouvrir, puis se refermer, et fut stupéfait de voir Matt Ross, suivi d'un membre du SWAT, émerger du couloir.

Matt, son plus proche ami au commissariat central, se précipita vers lui pour l'étreindre chaleureusement.

— Je n'arrive pas à le croire ! C'est pourtant vrai : il n'y a qu'à voir ta tête ! Je suis heureux pour toi, Grady, même si Susan est amnésique.

— Merci, Matt, dit-il, encore sous le choc. Tu peux me dire ce que tu fais ici ?

— Le commissaire m'a mis sur l'affaire. J'ai chargé dans l'ordinateur la photo prise par la petite caméra qui est installée à ta porte. L'un des deux types nous est inconnu, mais l'autre, le blond, a un sacré casier. D'après son permis de conduire, il s'appelle Sean Mills, 31 ans, employé par DeBeer Carrelages, ici, à Las Vegas.

Une entreprise de carrelage ? Encore un lien avec le bâtiment !

— Et voici le plus beau : l'un des éléments de son casier est une suspicion d'homicide au volant de sa voiture. On n'a rien pu prouver, et le tribunal a abandonné l'affaire.

Il s'interrompit un moment, avec l'air d'un homme qui savoure la révélation qu'il va faire, puis il reprit :

— J'ai cherché qui était au volant de la voiture qui a embouti celle du comptable, Beck, en avril dernier...

— C'était lui, murmura Grady. Je le savais !

Matt hocha la tête.

— L'homme conduisait une camionnette portant le logo DeBeer. C'est bien Mills. Le commissaire dit partout que tu as le meilleur nez de la brigade. Pour lui, c'était bien un homicide, et l'explosion de la fabrique de feux d'artifice fait partie de la même affaire. La jonction entre les deux, c'est ta femme.

Grady approuva.

— Ils en ont après les disquettes de Susan, marmonna-t-il. Il faut absolument prendre ces malfrats sur le fait et les forcer à tout nous dire, parce que le cerveau est ailleurs.

Matt ouvrait la bouche pour répondre quand le téléphone sonna. Sachant la ligne sur écoute, Grady se tourna vers Mme Harmon, et lui fit signe. Elle décrocha aussitôt.

— Domicile des Corbett...

— Bonjour, madame Harmon. C'est Mike Stevens.

— Ah, bonjour, Mike. Tu vas bien ?

— Moyen. Les vacances sont ratées : il n'y a rien à faire quand Brett n'est pas là.

— Dis-moi, c'est toi qui es venu tondre la pelouse, ici ?

— Oui. On est venus avec papa.

— C'était très gentil à vous. Ils vont être contents, en rentrant.

— Vous savez à quel hôtel ils sont installés ? Je voudrais appeler Brett.

— Pour l'instant, tu ne vas pas pouvoir le joindre : ils se sont embarqués pour une croisière de quatre jours.

— Oh, dur !

— Ils me passeront sûrement un coup de fil en arrivant à Disney World. Je leur demanderai où ils sont descendus, et je te donnerai leur numéro.

— Oui, mais on part pour le Mexique cet après-midi, et on ne reviendra que dimanche… Bon, tant pis, laissez tomber. Merci quand même.

— Je suis désolée, Mike.

— Moi aussi.

— Amuse-toi bien au Mexique.

— Merci. Au revoir, madame Harmon.

— Mauvaises nouvelles ? demanda Jim à son fils.

Il était plongé dans ses dossiers ; il essayait de tout boucler avant leur départ.

— Ouais. Ils sont partis en croisière : je ne peux pas les joindre.

— Ça valait le coup d'essayer…

— C'est vrai. T'as bien fait de m'y faire penser.

— J'ai presque fini. Si tu allais donner un coup de main à ta mère pour les bagages ?

— J'ai pas envie d'aller au Mexique…

— Tu seras content quand tu y seras. On va aller à la pêche : tu verras le trophée qu'on rapportera ! Peut-être un espadon, qui sait ?

Mike soupira, résigné. Ce serait bien, la pêche, mais maman allait détester ça. Elle avait toujours le mal de mer.

*
* *

Mme Harmon raccrocha.

— Mike voulait savoir où joindre Brett.

Grady hocha la tête.

— Vous avez été parfaite. Maintenant, ce serait bien d'aller chercher les journaux et le courrier. Ensuite, revenez ici, s'il vous plaît.

Elle revint très vite, tendit à Grady le journal et une liasse d'enveloppes.

— Asseyez-vous, détendez-vous, dit-il en feuilletant rapidement le courrier. Si nous n'avons pas de visiteurs d'ici à une heure, vous pourrez rentrer chez vous.

— Je veux bien rester plus longtemps…

— Je sais, et c'est vraiment gentil à vous, mais il vaut mieux s'en tenir à votre routine habituelle. Vous ne restez pas plus de vingt minutes quand nous ne sommes pas là : un changement trop important risquerait de donner l'alerte. De toute façon, s'ils vous surveillent, ils savent qu'ils doivent agir pendant ce créneau.

— C'est vrai.

— Je peux vous apporter quelque chose à boire ?

— Merci, non. Je vais terminer la lettre que j'écrivais à ma fille.

Grady lui sourit et alla rejoindre Matt.

— Je veux savoir tout ce qu'on a sur Sean Mills.

— S'il ne se montre pas aujourd'hui, je repartirai avec Mme Harmon, et je filerai chez DeBeer. Même si Mills n'y travaille plus, ils se souviendront de lui ; ils pourront me donner des éléments. L'autre type a peut-être travaillé là-bas, lui aussi. Quand j'en aurai terminé avec eux, tu sauras de quel côté du lit ils préfèrent dormir.

— Merci, Matt. Si je n'étais pas obligé de faire semblant d'être en vacances…

— C'est la situation rêvée, Grady, coupa son collègue. Brett a trouvé Susan sans que personne n'en sache rien, et tu l'as immédiatement amenée ici : ça n'aurait pas pu mieux se passer ! Ton secret est bien gardé. Tous les collègues tiennent à mettre la main sur ce salaud. Le plus difficile sera de ne rien dire à Jennifer.

— Je vois ce que tu veux dire : Brett va avoir un mal fou à ne rien laisser paraître, lundi, quand il retournera à l'école. Si tu voyais les yeux qu'il a…

Matt eut un rire ému.

— Dis-lui de mettre des lunettes de soleil pendant quelques jours.

— Bonne idée.

— Dis donc, je pourrais demander à Disney World qu'ils nous en envoient, avec leur logo.

— Oui. Deux paires, pour qu'il puisse en offrir une à Mike. Il lui rapporte toujours un souvenir.

— Marché conclu.

Le silence retomba. Enfin, Mme Harmon glissa sa lettre dans une enveloppe, puis la rangea dans son sac, et se leva, un peu indécise.

— Ça fera bientôt une heure…

— Bon, allez-y. Et merci encore.

— Ne sois pas trop déçu, Grady, murmura Matt. Ça finira par…

La sonnerie de son portable l'interrompit. Vite, il prit l'appel.

— Oui ?

— Ils arrivent à pied. On est prêts à intervenir.

Grady sentit grimper son taux d'adrénaline.

— Merci, dit-il. Madame Harmon, nous y sommes. Quand ils sonneront à la porte, criez : « J'arrive ! », et montez tout de suite au premier rejoindre Susan et Brett.

Tandis que Matt l'accompagnait dans l'entrée, Grady prévint le reste de l'équipe. Moins d'une minute plus tard, tout le monde était à son poste.

Il se replia dans le salon en laissant la porte entrouverte, et sortit son arme. Il allait s'efforcer de ne pas révéler sa présence, mais si les collègues avaient besoin d'un coup de main... Le mieux serait, pourtant, de les laisser agir car lui, il risquait d'abattre froidement les suspects sans même leur laisser le temps de parler !

La sonnette de la porte retentit. Debout, très droite, au pied de l'escalier, Mme Harmon lança :

— Une petite minute, j'arrive !

Puis elle s'enfuit.

Plaqué contre le mur, près de la porte, Tony tendit la main, tourna le verrou, saisit la poignée. Tout de suite, deux hommes bondirent à l'intérieur, le visage caché par des masques de ski.

Avec une satisfaction sauvage, Grady vit l'équipe SWAT les jeter à terre. Pris par surprise, les truands s'écrasèrent sur le sol, lâchant leurs bibles et leurs pistolets qui glissèrent sur le carrelage. Les renforts postés dehors se précipitèrent dans la maison. Les menottes cliquetèrent, les masques furent arrachés. En quelques secondes, tout était terminé... mais les deux hommes vociféraient encore.

— Qu'est-ce que...

— Nom d'un chien !

— Il disait qu'on n'aurait pas de problèmes avec la femme de ménage !

— La ferme !

La voix calme de Matt interrompit cet échange furieux.

— Vous êtes en état d'arrestation. Une voisine a prévenu Mme Harmon quand vous avez traversé son jardin, hier. En téléphonant au siège des Témoins de Jéhovah, elle a appris qu'ils n'avaient envoyé personne dans ce secteur, hier. Elle a donc appelé la police. Emmenez-les au poste : je vous rejoins dans un moment.

Grady poussa un long, très long soupir. Parmi ses collègues, seuls le commissaire et Matt savaient qu'il était censé être en vacances. Il pouvait faire confiance au commissaire, mais, en ce qui concernait Matt, il avait dû attendre qu'il se montrât à visage découvert devant les truands pour voir ses derniers doutes totalement balayés. Son ami n'était pas impliqué dans le complot contre sa femme.

Il rangea son arme, et resta dans le salon en attendant que la maison ne fût vidée. Matt vint bientôt le rejoindre.

— Merci, lui dit Grady. Tu as dit exactement ce qu'il fallait : ils ne se doutent toujours pas que je suis là.

Matt lui sourit.

— Je pense, reprit Grady, que ces truands voulaient savoir si j'avais gardé des copies des disquettes de Susan.

— C'est ce que m'a dit le commissaire...

— Matt... Personne ne savait qu'on partait en vacances, à part certains copains de Brett auxquels il a téléphoné pour les prévenir qu'il ne serait pas là.

Ils se regardèrent en silence, puis soupirèrent à l'unisson.

— J'ai du mal à y croire, dit Grady, et pourtant...

— Quels sont les copains que ton fils a informés ?

— A part Mike Stevens, je ne sais pas.

— On va poser la question à Brett, d'accord ?

— Je demande à tout le monde de descendre. Il faut qu'ils soient au courant.

Au moment de sortir, il hésita, se retourna à demi.

— J'ai expliqué à Susan que toi et Jennifer, vous étiez nos amis, mais... j'aime mieux te prévenir : elle va te regarder comme si elle ne te connaissait pas.

Matt fronça les sourcils.

— Je me demande comment tu fais pour supporter ça.

— Au début, c'était l'enfer, mais certaines choses commencent à lui revenir.

— Tu verras : elle se souviendra bientôt de tout.

Ils échangèrent un sourire, et Grady fila à l'étage. Quand il ouvrit la porte de la chambre, trois regards anxieux se fixèrent sur lui.

— C'est terminé, dit-il. On les a coincés sans problème.

— J'en étais sûr ! s'exclama Brett, survolté.

— On peut remercier Mme Harmon d'avoir servi d'hameçon. L'équipe a fait le reste.

Susan ne semblait pas encore complètement rassurée.

— La personne qui a envoyé ces hommes ne risque pas d'en embaucher d'autres ?

— C'est possible, admit Grady. Nous allons faire encore plus attention qu'avant... Descendons, maintenant : il faut qu'on parle.

Susan aurait aimé entendre les détails de l'action, mais elle attendrait pour interroger Grady. Quel soulagement que de savoir ces hommes hors d'état de nuire ! Un soulagement double : d'une part, la menace immédiate était écartée et, d'autre part, ils retrouveraient leur intimité dès ce soir.

— Madame Harmon, vous avez été merveilleuse ! s'écriat-elle.

Ravie, l'intéressée se mit à rire.

— Il faut dire que je lis des thrillers depuis des années...

Grady ne disait rien. Un peu interdite, Susan se demanda ce qui le tourmentait encore.

Dans le salon les attendait un grand garçon brun, au physique de sportif. Voilà donc à quoi ressemblait Matt Ross, l'homme qui, avant l'explosion, la trouvait assez attirante pour attiser la jalousie de sa femme, Jennifer !

Pourquoi Grady lui avait-il raconté une chose aussi déplaisante ? Il devait avoir une bonne raison... ou une raison moins bonne, comme sa propre jalousie.

Ce collègue était assez séduisant, mais Grady pensait-il sérieusement qu'elle pût s'intéresser à un autre que lui ? Il ne s'imaginait tout de même pas qu'elle eût entretenu une liaison avec Matt ?

Elle glissa son bras autour de la taille de son mari. Aussitôt, il la serra contre lui, et elle sentit une chaleur délicieuse se répandre dans son corps.

— Susan, voici un vieil ami à nous. C'est Matt Ross.

Celui-ci prit la main qu'elle lui tendait, l'air profondément troublé.

— Je sais bien que tu... que tu ne te souviens pas de moi, mais il faut que je te dise à quel point je suis heureux de te revoir en vie ! J'ai l'impression de rêver... Tu es plus belle que jamais.

— C'est gentil. Et c'est merveilleux pour moi d'être ici, après six mois de désespoir, ajouta-t-elle délibérément.

Elle regardait Matt, mais c'était à Grady qu'elle s'adressait ; c'était lui qu'elle voulait convaincre.

— Et puis, Brett et Grady sont venus à mon secours, et m'ont appris que ma place était ici, avec eux. Des moments comme celui-là, on n'en vit pas beaucoup dans une existence. Je n'étais plus seule : j'avais une famille. Et pas n'importe laquelle : un garçon adorable et un homme fabuleux... mieux que tout ce dont j'aurais pu rêver.

— Oh, Susan..., balbutia Mme Harmon.

Les deux femmes tombèrent dans les bras l'une de l'autre. Derrière elles, Matt dit quelque chose, mais Susan ne l'entendit même pas. La chaleur du sourire de Grady l'enveloppait, remplissait tout son univers.

« Je t'aime, pensa-t-elle. Tu dois bien savoir que je t'aime... »

Il commençait sûrement à s'en douter ! Son visage avait changé quand il proposa :

— Venez tous vous asseoir. Nous avons à discuter, et Matt doit tout entendre parce que c'est lui qui est chargé de l'enquête.

Susan tendit la main à son fils pour le faire asseoir près d'elle sur le canapé, à côté de Mme Harmon.

— Brett, reprit Grady, avant que Matt ne parte, tu lui donneras les noms des copains à qui tu as téléphoné pour leur dire que tu partais en vacances.

Le garçon jeta un regard interrogateur à sa mère, puis demanda :

— Mais pourquoi ?

— Je vais te l'expliquer dans une minute.

— J'ai appelé Dave, Jack et Ken. Greg n'était pas là, mais j'ai laissé le message à sa mère.

Grady réfléchit un instant, puis se tourna vers Matt.

— Walter Thomas, le père de Dave, est assureur. Il a un poste assez important. Sa compagnie assure un certain nombre d'immeubles en ville, y compris L'Etoile. Hank Openshaw, le père de Jack, est le patron de Openshaw Designs, une entreprise de décoration intérieure qui travaille essentiellement avec les hôtels et les restaurants. Ils ont décoré, notamment, le restaurant français de L'Etoile. Je pense que Mark Grey, le père de Ken, est hors du coup : c'est un vétérinaire. Quant au père de Greg, Spencer Crowley, c'est le vice-président de la Southern Nevada Bank & Trust, qui a pris en charge une bonne partie du financement de L'Etoile. Reste le père de Mike, Jim Stevens, patron de Stevens Construction, une grosse entreprise de bâtiment... qui a construit L'Etoile.

Matt prenait des notes au fur et à mesure.

— Qu'est-ce qui se passe, papa ? demanda Brett avec inquiétude.

— Je crois que je vais laisser Matt te le dire.

Grady alla se poster derrière le canapé, une main posée sur l'épaule de sa femme, l'autre sur celle de son fils. D'une voix parfaitement neutre, Matt expliqua :

— Nous avons la preuve que l'un des hommes qui a été arrêté ici, cet après-midi, conduisait la camionnette qui a tué David Beck, le comptable que ta mère a remplacé.

Susan sursauta légèrement.

— Ta mère a repris le dossier, et le chef de ces malfrats a eu si peur qu'elle fasse des découvertes compromettantes pour lui qu'il l'a fait assassiner — ou, en tout cas, il a cru le faire. Ton père et moi, nous pensons que, depuis l'explosion, cet homme attend l'occasion de s'introduire dans votre maison pour voir s'il reste des éléments pouvant être utilisés contre lui. Il n'a pas pu le faire plus tôt parce que vous ne vous êtes jamais absentés avant cette semaine. Les horaires de travail de ton père sont très irréguliers. Il est parfois là dans la journée, et toi, tu rentres tôt de tes cours… Maintenant, nous arrivons au plus difficile.

— Quoi donc ? demanda Brett, très impressionné.

— Le fait qu'on ait attendu votre prétendu départ pour agir nous indique que le responsable de l'explosion savait que vous deviez vous absenter. Les seules personnes à être au courant sont le commissaire Willis, moi, l'équipe du SWAT, Mme Harmon, et les parents de tes amis.

Susan jeta un regard à son fils.

Quelques secondes plus tard, quand le garçon eut compris le sens des paroles du policier, il devint livide.

Le cœur serré, sa mère baissa la tête. Pauvre Brett…

Elle sentit la main de Grady lui presser doucement l'épaule.

Pendant ce temps, Matt vint s'accroupir devant Brett.

— Ce que tu pourrais faire pour nous aider, c'est essayer de te souvenir si quelqu'un, parmi les parents de tes amis, s'intéresse particulièrement à tes faits et gestes, depuis la disparition de ta mère. Est-ce que l'un d'eux pose des questions sur toi et ton père ? Ou sur le travail de ta mère ? Ne me réponds pas tout de suite, mais penses-y. Avant la fin de la semaine, quelque chose te reviendra peut-être. Parles-en à ton père, et il me contactera.

Jusque-là, Brett était resté immobile, comme pétrifié. Tout à coup, il sauta sur ses pieds, les yeux flamboyants.

— C'est pas eux ! cria-t-il en secouant furieusement la tête. C'est pas possible !

Il sortit de la pièce en courant.

Après un regard de détresse à Grady, Susan se lança à sa suite.

Elle frappa un coup léger à la porte de sa chambre, puis entra. Le garçon était allongé sur son lit, en larmes. Sans un mot, sa mère lui caressa le dos.

— Mon cœur, il y a peut-être une autre explication. Le coupable a pu me voir dans la voiture quand vous m'avez ramenée de l'appartement...

Brett ne réagit pas.

169

10.

— Brett, dis-moi ce qui se passe ! Où est mon garçon qui
me disait tout ?

Brett tressaillit. Sortant de l'espèce de transe où l'avait plongé
la révélation de Matt, il se redressa, regarda plus attentivement
sa mère... et vit une lueur nouvelle dans son regard.

— Maman...

— Je me souviens de toi ! cria-t-elle. Oh, Brett, mon cœur,
je me souviens de toi !

Elle le serra dans ses bras, si fort qu'il se mit à tousser en
riant.

— Je me souviens de notre dernière conversation : tu étais
contrarié parce que Ken et Mike étaient allés voir une expo-
sition de voitures de sport sans toi. Et moi, je t'ai dit que ça
arriverait de plus en plus souvent parce que, en grandissant,
vous deveniez tous plus indépendants.

Il se rappelait encore ses paroles exactes. Cette fois, sa mère
était de retour pour de bon ! Il s'écarta un peu, juste assez pour
voir son visage.

— Et papa, tu te souviens de lui ?

Il vit ses yeux bleus se mouiller.

— Pas encore. Je ne comprends pas pourquoi...

Brett avala sa salive avec effort, et prit sa décision :

— Alors, je ne vais pas lui dire ce qui vient de se passer. Si tu te souviens de moi et pas de lui, il sera content, mais, en même temps, ça lui fera de la peine. On va garder le secret pour le moment.

— Quel secret ?

En entendant la voix de son père, il roula à bas du lit, et vint se planter devant lui.

— Je ne voulais pas te le dire parce que j'avais peur que tu me prennes pour un fou. Mais, bon, maintenant, je suis bien obligé.

Il devina le scepticisme de sa mère qui se tenait derrière lui.

— Il ne peut y avoir aucun secret dans cette maison, Brett, dit Grady. Pas après tout ce qu'on a enduré.

Le garçon hocha la tête, et déclara :

— Je pense que je sais qui a voulu tuer maman.

— Qui est-ce ?

— De toute façon, je ne l'aime pas vraiment…

— Dis-moi qui.

— M. Stevens.

Le silence se fit dans la pièce.

— Mme Harmon m'a dit la même chose, juste avant de repartir avec Matt, murmura Grady. Je vais t'expliquer pourquoi elle le pense, mais, avant, j'aimerais entendre tes raisons à toi.

— Eh bien, voilà : M. Stevens est le seul qui m'ait posé des questions et qui m'ait parlé de choses qui me mettaient mal à l'aise.

Grady tira une chaise vers lui, et s'assit sans quitter son fils des yeux.

— Donne-moi des exemples.

— Oh, plein de choses. En sortant de la cérémonie pour maman, il n'arrêtait pas de répéter qu'on devrait partir en vacances quelque part tous les deux, pour essayer d'oublier.

Je pensais qu'il cherchait à être gentil, mais il l'a répété tant de fois que ça a commencé à m'énerver. Je savais bien que tu ne voulais aller nulle part, même pas chez mamie ou Tonton. Et puis… je ne sais pas comment dire, mais je ne crois pas que M. Stevens aime sa femme comme toi tu aimes maman. Quand il ne travaille pas, il doit toujours partir quelque part, ou donner une fête, ou faire un voyage d'affaires. Mike s'est déjà plaint de ne jamais voir son père et sa mère faire des choses ensemble. Je veux dire…

— Je vois ce que tu veux dire, Brett.

— Je parie que, si elle mourait, il aurait du chagrin mais il continuerait à tout faire comme avant. Ç'avait l'air de le contrarier que tu ne veuilles jamais aller chez eux ou faire quoi que ce soit après le travail, comme aller nager avec moi. L'autre soir, quand il nous a emmenés dîner à L'Etoile, Mike et moi, c'était un vrai interrogatoire.

— Dis-moi exactement ce qu'il t'a demandé.

Grady avait adopté une voix froide et précise, comme chaque fois qu'il était sur le point de boucler une enquête. Cette voix impressionnait un peu Brett, mais il répéta sans hésiter toute la conversation qu'il avait eue avec Stevens.

Quand il eut terminé, il vit ses parents échanger des regards graves.

— Tu veux savoir ce que pense Mme Harmon ?

— Oui.

— Au fil des mois, elle a remarqué avec quelle régularité Ella téléphonait pour essayer de nous convaincre de venir chez eux. Les autres parents nous ont invités, eux aussi, mais pas avec la même obstination. Mme Harmon est convaincue que Jim est venu tondre la pelouse avec Mike uniquement pour s'assurer que nous étions bien partis au jour dit.

— Oh, ça, j'avais déjà compris, p'pa ! Si tu n'avais pas retiré la clé cachée, il aurait sûrement demandé à Mike de lui

172

ouvrir en prétendant qu'il voulait aller aux toilettes ou passer un coup de fil…

Son père hocha la tête.

— Mike a téléphoné, tout à l'heure, pour demander à Mme Harmon le numéro de notre hôtel à Disney World. Il voulait te parler.

— Qu'est-ce qu'elle a répondu ?

— Qu'on était en croisière et qu'il était impossible de nous joindre pour l'instant.

— Je parie que son père l'a poussé à téléphoner ! lança Brett, furieux. C'est un sale type : il a voulu tuer maman !

Instantanément, Susan et Grady refermèrent les bras sur lui.

— Mon cœur, murmura Susan, le père de Mike est peut-être coupable, mais, pour l'instant, on n'a aucune preuve. Et si ce n'était pas lui ?

— Ta mère a raison. Il ne faut pas sauter à des conclusions tant qu'on n'a pas de preuves concrètes. C'est trop grave. Pour pouvoir aller plus loin, il faudrait que la comptabilité de Drummond nous mène jusqu'à eux.

Brett se dégagea doucement pour s'essuyer les yeux.

— Maman va en trouver, des preuves. J'ai une idée ! On devrait organiser une grande fête et inviter tous ceux qui ont été gentils avec nous pendant qu'on la croyait morte. Quand ils seront tous là, papa leur dira qu'il y a une surprise et, là, maman fera son entrée. Les collègues de papa n'auront qu'à surveiller la réaction de M. Stevens. J'espère qu'il fera une crise cardiaque.

Son père lui sourit.

— C'est une idée géniale. Tu ferais un excellent détective, fils. Tout de même… tant qu'on n'a pas d'éléments plus précis pour accuser Jim, c'est trop dangereux pour toi et ta mère. N'oublie pas qu'avant ce soir, le coupable saura que ses hommes de main sont en garde à vue. Quand il comprendra qu'ils n'ont pas eu le temps de fouiller la maison, il enverra quelqu'un d'autre.

— Raison de plus pour faire le test de Brett ! répliqua Susan. On pourrait…

— Non, Susan. J'ai mobilisé toute la brigade, organisé une surveillance constante autour de la maison. Nous faisons tout pour cacher ton retour. Je ne veux pas remettre ce plan en question.

Voyant qu'il semblait vraiment bouleversé, elle renonça.

— Très bien, dit-elle.

Puis elle se tourna vers Brett.

— Viens, mon cœur, lui dit-elle. On va faire du poulet chop-suey pour le dîner et, ensuite, on s'occupera sérieusement de comptabilité.

— J'arrive, dit-il.

Au passage, il lança un regard furtif à son père. Avait-il relevé le choix de Susan en matière de menu ? Car, à moins d'avoir retrouvé d'autres souvenirs, elle ne pouvait savoir que c'était son plat préféré.

Grady les regarda sortir ensemble. Du poulet chop-suey ? Ça faisait une éternité qu'ils n'en avaient pas mangé. Curieux, tout de même, qu'elle eût justement choisi ce plat… Non, Mme Harmon, qui faisait les courses, avait dû apporter les ingrédients nécessaires et suggérer le menu à Susan…

Ecartant ce détail sans importance, il sortit son portable pour appeler le commissaire Willis. Le patron devait savoir ce que Brett venait de lui apprendre. C'était assez troublant, tout de même. On croit savoir ce qui se passe dans la tête de ses enfants, et l'on se trompe complètement ! Depuis des mois, Brett subissait les questions incessantes de Jim Stevens, et il ne s'était douté de rien.

— Ici Willis.

— Commissaire ? Corbett, à l'appareil.

— Vous tombez bien. Je viens de parler à Boyd Lowry : on peut ressortir le dossier LeBaron. Les fiches dentaires prouvent que c'est lui qui a été tué.

— Ah ! C'est une grande nouvelle pour moi, commissaire. Vous avez prévenu sa famille ?

— J'allais le faire. Ça mettra fin aux rumeurs qui circulaient sur son compte. Ils seront soulagés d'apprendre qu'il n'était qu'une victime innocente.

— Merci, commissaire. On a déterminé la cause du décès ?

— Fracture du crâne à la suite d'un coup, sans doute à l'aide d'un tube métallique. L'ange gardien de votre femme devait être de service car on a dû la traiter de la même manière.

— Sûrement, oui, dit Grady en s'éclaircissant la gorge avec effort. Si LeBaron n'est plus en cause, le champ des suspects se limite à quatre hommes que je connais personnellement.

— Ross m'a déjà mis au courant.

— Mais vous ne savez pas encore ce que mon fils vient de me dire.

Il relava les informations du garçon au sujet de Jim Stevens. Le commissaire réfléchit quelques instants, puis déclara :

— Je pense que votre fils a vu juste. Nous le saurons bientôt, de toute façon : au cas où votre femme ne recouvrerait pas la mémoire, j'ai demandé à Boyd de contacter un expert comptable et de lui mettre en main les comptes de Drummond.

Grady baissa la tête. Le commissaire cherchait uniquement à faire avancer l'enquête, mais sa suggestion concernant Susan était douloureuse pour lui…

— Espérons que le problème sera rapidement élucidé, dit-il.

— Boyd s'en occupe déjà. Quant aux deux loustics arrêtés tout à l'heure, la procédure est en marche. Qui sait, Grady ? Pour alléger leur peine, ils nous donneront peut-être un nom et un mobile.

— Merci de votre aide, commissaire.

— On est une famille, non ? Allez, à plus tard.

Grady resta immobile quelques instants à réfléchir. Tout à coup, une sueur froide l'inonda. Il s'en était fallu de peu ! Si Brett avait dit un seul mot à Mike, le soir où il avait vu sa mère à l'hôtel, le garçon en aurait parlé à son père… Et si Jim était bien le monstre qu'ils pensaient, il se serait empressé de faire une nouvelle tentative — le soir même, peut-être, avant qu'ils ne remontent jusqu'à Martha Walters. Cette fois, Jim se serait assuré de ne pas rater son coup… et Grady n'en aurait rien su.

Incapable de supporter cette idée cauchemardesque, il sortit de la pièce en courant, dévala l'escalier, et s'engouffra dans la cuisine. Puis il marcha droit sur Brett qui découpait des poivrons verts en lamelles, et le serra dans ses bras.

— Papa ! protesta le garçon en faisant semblant de s'étrangler. Qu'est-ce que tu as ?

— J'ai que tu es le fils le plus génial du monde.

— Nous, on le savait déjà ! lança Susan avec un clin d'œil, sans cesser de remuer sa préparation.

Incapable de tenir en place, Grady commença à mettre le couvert.

— Il s'est passé quelque chose, papa ? Tu as l'air tout content, d'un seul coup.

Il leur apprit la nouvelle au sujet de Geoffrey LeBaron.

— C'est triste pour lui, murmura Susan.

— Tu as raison, mais ça va faire avancer l'enquête.

Le dîner était prêt. Susan éteignit le feu, et s'essuya les mains d'un air pensif.

— J'ai appris beaucoup de choses sur la comptabilité, aujourd'hui, grâce à mon manuel. Après le dîner, je me remettrai à étudier les comptes. Je crois que, cette fois, je comprendrai mieux.

— Quand tu auras terminé, tu voudras regarder des vidéos de quand j'étais petit ?

— Oui !

Oui, pensa Grady avec tendresse, ce serait bon de revoir des images de ces jours heureux, sans amertume, cette fois. Et puis, le fait de les voir ensemble tous les trois réveillerait peut-être quelques souvenirs chez sa femme !

— Ton père est sous la douche. Je suis venue te dire bonne nuit.

Brett plongea son regard troublé dans le sien.

— Tu ne t'es souvenue de rien, ce soir. Même pas en voyant le film de votre mariage.

— Non, mon cœur. Mais on ne va pas se décourager pour autant : je me suis bien souvenue de toi ! Et, avant, j'avais déjà retrouvé quelques images de mon frère, et aussi ce tableau. Le reste reviendra, j'en suis tout à fait sûre. Toi aussi, il faut que tu y croies.

— J'y crois. J'espère seulement que papa tiendra jusque-là.

— Quand je n'aurai plus à me cacher, j'irai voir un psychiatre. Il pourra peut-être me mettre sous hypnose pour découvrir ce qui bloque mes souvenirs.

— Papa pense que ton cerveau a peur de découvrir ce qui s'est passé le jour où tu as disparu.

— C'est ce que je croyais aussi, mais, maintenant, je n'en suis plus si sûre.

— Pourquoi ?

— Quand vous m'avez ramenée ici et que j'ai découvert qu'il y avait eu quelques tensions dans notre mariage, j'ai eu peur que ton père ait cessé de m'aimer. Maintenant, je sais que ce n'est pas vrai. Il m'aime, et je suis sûre qu'il ne m'a jamais rien caché. Je n'ai jamais rencontré un homme plus direct et plus sincère.

— Oui. Du coup, c'est presque impossible de lui mentir…

— C'est exactement ce que je veux dire. Je me demande si moi, je ne suis pas en train de lui cacher quelque chose. Quelque chose que je ne veux pas admettre moi-même.

— Tu veux dire : quelque chose de grave ? Comme un autre homme ?

— Je ne sais pas. Non, sûrement pas un autre homme : j'aime trop Grady.

Brett regarda sa mère au fond des yeux.

— Je croyais que tu faisais seulement semblant, pour qu'il se sente mieux. Surtout devant Matt.

Ça, c'était vraiment très fin de sa part ! Elle le serra contre elle en souriant.

— Non, mon cœur. Ce n'est pas comme ça que marche l'amnésie. Admettons que ce soit toi qui ne te souviennes de rien. Mike vient à la maison pour te voir. On t'a expliqué qu'il était ton meilleur ami. Tu réagis comment ?

— Comme quand un nouveau s'assied à côté de moi à l'école.

— Et ça se passe comment ?

— Il va peut-être me plaire, mais peut-être pas.

— Si tu sais qu'il est ton meilleur ami depuis la maternelle, tu fais semblant de l'aimer, même si ce n'est pas vrai ?

Le garçon cligna des yeux, surpris.

— Non.

— Pourquoi ?

— Parce que je ne le connais pas. Enfin, s'il a envie de se balader avec moi, je veux bien, à moins qu'il fasse des trucs qui ne me plaisent pas, ou qu'on ne s'entende plus, qu'on commence à se disputer.

— Et s'il te plaît tout de suite, et que vous vous entendez à merveille ?

— Alors, on continuera à se balader ensemble.

— Et vous redeviendrez peut-être chacun le meilleur ami de l'autre ?

— Peut-être.

— C'est ainsi que ça s'est passé quand j'ai retrouvé ton père. Je ne me souvenais pas de lui mais je l'ai tout de suite adoré. Tu te rends compte qu'en six mois, aucun homme ne m'a intéressée ? J'en ai rencontré des douzaines en travaillant à l'hôtel. Des hommes d'affaires, des touristes, des collègues... J'aurais pu sortir tous les soirs. Il y avait un employé de l'hôtel qui n'arrêtait pas de m'inviter. Il était plutôt séduisant ; il plaisait beaucoup aux femmes.

— Papa avait peur que tu aies rencontré quelqu'un.

— Eh bien, j'ai rencontré plein de types, mais je n'ai eu aucune envie de sortir avec eux. Mes copines, celles de l'appartement, n'arrivaient pas à me comprendre. Et puis, un soir, alors que je dormais déjà, Tina m'a dit qu'il y avait à la porte un policier craquant qui me demandait, et elle a ajouté : « C'est le genre d'homme qu'on veut garder toujours. » Quand j'ai vu ton père planté là, je te jure que mon cœur s'est emballé. Ensuite, tu m'as montré l'album de photos ; j'ai compris qu'il était mon mari, et j'ai failli tomber par terre.

Brett se remit à sourire.

— Comme la première fois que tu l'as rencontré ?

— Sûrement ! Ce que je veux dire, c'est que je n'ai pas eu à faire semblant. J'ai envie de rester près de lui aussi longtemps

179

qu'il voudra de moi. En fait, je… je suis tombée une deuxième fois amoureuse de lui.

— Quand est-ce que tu vas lui dire ?

— Ce soir. Je meurs de trac.

— Mais pourquoi ? Il est fou de toi.

Elle secoua la tête.

— Il aime celle que j'étais avant. Je crois qu'il commence à apprécier aussi celle que je suis maintenant, mais ce n'est pas de l'amour.

— Je ne comprends pas.

— Eh bien, il se souvient de dix-sept années d'amour avec une autre femme. Je lui ressemble comme deux gouttes d'eau à cette autre femme ; j'ai sans doute un peu la même personnalité, mais il ne connaît pas mes pensées. Si mes souvenirs ne reviennent pas complètement, je ne sais pas s'il pourra m'aimer telle que je suis aujourd'hui.

— Quand on le voit, pourtant, on jurerait qu'il t'aime !

— C'est parce qu'il est amoureux de la part de moi qui lui est familière : la part qu'il reconnaît. Mais il y a une partie manquante et, pour lui, c'est la plus importante. Je sais que c'est compliqué ; je ne suis pas sûre de bien comprendre moi-même.

Il détourna les yeux.

— Le soir où on t'a ramenée à la maison, j'ai dit un truc que je regrette, maintenant. Je lui ai dit que, si tu ne te souvenais pas de nous, je voulais que tu t'en ailles. Je ne le pensais pas vraiment, maman.

— Je le sais bien, mon cœur. C'était très difficile pour nous trois. Il me paraît déjà très loin, ce premier soir…

— Ouais.

Il y eut un silence, puis, avec un regard de connivence, Brett corrigea de lui-même :

— Oui.

180

Ils éclatèrent de rire en même temps.

— Vous avez l'air de bien vous amuser, tous les deux. Grady !

Susan se leva, très consciente de son regard attentif.

— Le film de notre fils en train de faire ses premiers pas était à se tordre de rire. Il m'a fait penser à un type complètement ivre qui essaie de marcher droit devant un agent de police.

Contrairement à Brett, Grady ne rit pas à cette remarque.

— C'est ce que tu as dit le jour où on l'a filmé, dit-il d'une voix distante. Ça veut dire que tu t'es souvenue de quelque chose de nouveau ?

Du coin de l'œil, elle vit l'expression peinée de son fils. Ils savaient tous les deux qu'elle ne pourrait pas mentir.

— Oui. Avant le dîner, j'ai retrouvé des souvenirs récents de Brett. J'attendais qu'on soit seuls pour t'en parler.

— C'est fantastique !

Toujours cette voix lointaine, un peu machinale… Brett se hâta de meubler le silence :

— Tu vas voir : maman se souviendra bientôt de tout !

— Tu as sûrement raison.

Susan s'esquiva pour les laisser seuls tous les deux. Elle avait déjà pris sa douche ; il ne lui restait plus qu'à se glisser dans le lit… et à attendre.

Grady ne venait pas. Sans doute allait-il rester auprès de Brett toute la nuit, pour tâcher d'oublier son chagrin dans le sommeil. Car, même s'il refusait de l'admettre, c'était bien du chagrin qu'il ressentait.

Le blocage qui l'empêchait de se souvenir de lui devenait un sérieux problème ; il fallait qu'ils en parlent. Elle s'apprêtait à aller le chercher quand elle le vit sur le pas de la porte.

— Susan ?

— Oui, entre : je ne dors pas.

— Il faut qu'on parle.

— Je sais. Je t'attendais.

Il referma la porte derrière lui.

Comme il était séduisant, enveloppé dans son peignoir, les cheveux humides et en désordre ! Le moment était sans doute mal choisi pour y penser ; il avait tout autre chose en tête… mais elle attendait avec tant d'impatience l'instant où ils seraient seuls tous les deux !

Il la surprit en éteignant la lampe et en se glissant dans le lit à côté d'elle. Un instant, elle resta figée, tremblante… puis il croisa les bras derrière la tête, et elle comprit que la discussion était toujours à l'ordre du jour.

La pénombre ne lui facilitait pas la tâche : elle aurait préféré qu'ils puissent se regarder en parlant. Quand elle lui dirait ce qu'elle ressentait pour lui, elle voulait voir ses magnifiques yeux noisette, si expressifs, même quand il voulait rester sur sa réserve.

— N'essaie pas de me protéger, dit-il sans préambule. C'est inutile de me cacher quoi que ce soit : je suis assez grand pour admettre qu'un blocage t'empêche de te souvenir de moi. L'important, pour l'instant, c'est Brett, et le fait que son univers se soit reconstruit. Tout ce qui s'est passé dernièrement est un miracle. Je n'irai pas jusqu'à en exiger un autre.

« Là, c'est le policier qui parle, pensa-t-elle. L'homme fort, indestructible. Mais, quelque part en lui, il y a un autre Grady qui ne ressent pas du tout la même chose. »

— Grady ? chuchota-t-elle. Si on décidait de vivre le moment présent, au moins quand on est ensemble dans cette chambre ?

— Je ne te suis pas.

Il se retranchait derrière son bouclier. L'ancienne Susan aurait su comment l'atteindre ; la nouvelle devait trouver son chemin d'instinct.

— Je n'aime pas les secrets, reprit-elle. Pas plus que toi. Si je ne t'ai pas dit tout de suite que je me souvenais de Brett, c'est parce que je ne supportais pas l'idée de te faire de la peine.

— Susan…

— Non, laisse-moi terminer, pendant que j'en ai le courage. Tu avais raison de dire qu'il est vital pour nous de vivre dans une atmosphère de franchise. Ce que je vais te dire maintenant va peut-être te choquer…

— Continue, dit-il à mi-voix.

— Je veux que tu me fasses l'amour. Je le veux plus que tu ne peux l'imaginer. En même temps, je sais bien que tu es toujours en deuil. Il faudra peut-être un certain temps avant que tu ne sois prêt à avoir une relation amoureuse avec une autre femme que la tienne.

— Tu es ma femme ! répliqua-t-il avec fureur.

— Non. Tu as vécu un amour de dix-sept ans avec une femme qui était mon sosie, mais moi, je suis encore une inconnue. Le couple que nous formons aujourd'hui n'est vieux que de quatre jours.

Elle reprit son souffle, incapable de se défaire d'une sensation affreuse : elle avait l'impression de tomber en chute libre. Si elle faisait fausse route, il serait trop tard pour revenir en arrière.

— En six mois d'existence, j'ai appris à me connaître. Si tu ne m'avais pas émue dès le premier moment, j'aurais demandé à Tina de venir avec nous, comme tu le proposais. Pendant tout le temps où j'ai été Martha, je n'ai pas rencontré un seul homme qui m'intéresse. Mes amies peuvent te le confirmer. Je te le dis pour te donner une idée de ce qui s'est passé en moi quand je t'ai vu, sur le pas de la porte. Depuis que je suis ici avec vous, cette attirance n'a fait que grandir. Quand tu as voulu m'éloigner pour me mettre en sécurité, j'ai été horrifiée à l'idée d'être séparée de toi. Alors, j'ai compris que c'était de l'amour.

» Voilà la situation. Je crois avoir réussi à faire comprendre à Brett que, si je suis amoureuse d'un homme que je connais depuis si peu de temps, cet homme n'est pas obligé de ressentir la même chose pour moi. Par exemple, je devine que l'ancienne Susan n'était pas aussi agressive que moi. Enfin, pas exactement agressive, plutôt "affirmée"... Grady, aide-moi.

Il y eut un bref silence, puis il dit :

— Tu as l'air beaucoup plus déterminée qu'avant...

— Probablement parce que j'ai dû me faire une place dans un monde où rien ne m'était familier. Cet aspect de moi te déplaît ?

— Bien sûr que non !

— Mais ça ne te séduit pas ?

— C'est-à-dire que... c'est inattendu, dit-il avec une franchise émouvante.

— C'est bien ce que je veux dire. Je ne suis pas celle que tu aimais. Ce soir, notre fils m'a avoué qu'au tout début, il se disait qu'il serait préférable que je m'en aille si je ne recouvrais pas la mémoire. Je pense que, quelque part en toi, il y a aussi cette envie, mais je te connais suffisamment, maintenant, pour savoir que tu tiens à ce que notre famille reste unie, envers et contre tout. Au moins, tant que Brett est encore un enfant.

— Tu parles comme si tu avais renoncé à te souvenir, dit-il très bas.

— Non, Grady ! s'écria-t-elle, frustrée. Tu n'as rien entendu de ce que je viens de dire ? Je t'aime ! Je n'ai qu'une envie : être la femme que tu as épousée. N'oublie pas que je viens de regarder les films de notre vie. J'ignore pourquoi l'ancienne Susan ne t'a pas expliqué la raison pour laquelle elle voulait prendre un emploi, mais je vois bien que, dans tous les autres domaines, elle savait te rendre heureux... J'essaie seulement de te dire que je ne me fais pas d'illusions : je sais que tu n'es pas amoureux de moi. Si je ne recouvre pas la mémoire, je ne peux espérer qu'une chose : un jour, tu cesseras de nous comparer, et tu tomberas amoureux de celle que je suis maintenant.

— Ce serait impossible.

Ce fut comme s'il venait de la poignarder en plein cœur. Quand elle réussit à reprendre son souffle, elle murmura :

— Je vais retourner dans la chambre d'amis.

Avant qu'elle n'eût rejeté les couvertures, le bras de Grady vint se glisser autour de sa taille. Avec une force irrésistible, il l'attira contre lui.

— Tu m'as mal compris, souffla-t-il. La plupart du temps, tu *es* Susan, même si tu l'ignores. C'est seulement quand tu parles comme tu viens de le faire que tu m'obliges à faire une différence entre vous deux. Il y a un petit moment, tu as proposé que nous vivions dans le présent quand nous sommes dans cette chambre. J'ai une bien meilleure idée : si on arrêtait de tout analyser pour suivre nos sentiments ? Si tu te souviens de quelque chose, c'est parfait. Sinon, ça ne va pas nous empêcher de vivre.

— Tu crois sincèrement pouvoir faire ça ?

— Tu es allongée près de moi, non ?

— Si…

— La vie nous réserve des merveilles inimaginables. Ton retour en fait partie. Je ne peux pas l'expliquer, et je n'ai plus envie d'essayer ; je veux seulement célébrer ce cadeau. Pour la première fois depuis six mois, je n'ai plus envie de pleurer en me rappelant les moments où nous faisions l'amour ensemble, parce que tu es vraiment dans mes bras… Viens là.

C'était exactement ce qu'elle avait besoin d'entendre. Elle lui offrit sa bouche, et il s'en empara avec une passion dévorante. Ce ne fut pas un baiser doux et prudent, car il embrassait l'ancienne Susan. Il avait eu dix-sept ans pour apprendre à donner du plaisir à sa femme, et son instinct était très sûr.

Il se mit à l'aimer comme elle en avait rêvé pendant les six derniers mois.

— Oh, c'est bon ! murmura-t-il avec une émotion qui la bouleversa. Tu es vivante, tu es vivante !

Sa bouche se promenait fiévreusement sur son visage, ses cheveux.

— Je veux te faire l'amour toute la nuit.

La passion montait en elle comme une tornade.

— Oui. C'est ce que je veux aussi, souffla-t-elle contre sa bouche.

Le désir les emporta.

S'ils dormirent, cette nuit-là, elle ne se le rappela pas.

11.

— Professeur Seedall ?

— Oui, c'est moi.

— Bonjour, professeur. Je m'appelle Susan Nilson. Il y a dix-huit ans, j'étais l'une de vos étudiantes. Ce matin, j'ai appelé l'université pour savoir si vous enseigniez toujours…

— Susan Nilson ? Le nom ne me dit rien, mais… que puis-je faire pour vous ?

— Voilà : j'exerce le métier de comptable, mais, à la suite d'un accident, il y a six mois, je suis devenue amnésique. Je sais uniquement que j'ai étudié avec vous, grâce à une dédicace dans un exemplaire de votre livre : celui dont nous nous servions en cours.

— Quelle histoire épouvantable !

— C'était assez terrible, au début, mais je suis très entourée. Je commence à reconstruire ma vie, seulement, tous mes souvenirs professionnels sont effacés. Voilà pourquoi je vous appelle : je m'occupais des comptes d'un client quand j'ai été accidentée. Or, j'ai découvert, récemment, que certains sous-traitants ne souhaitaient pas que je révèle les anomalies que j'aurais pu détecter, et qu'on a cherché à m'empêcher de parler — d'où mon accident. Je dois maintenant prouver qu'il y a eu fraude.

— C'est un vrai roman ! Expliquez-moi comment je peux vous aider.

— Je vous serais très reconnaissante si vous vouliez bien répondre à quelques questions. Sur le chapitre de votre livre qui traite des fraudes dans le bâtiment, je retrouve quelques notes dans la marge. Vous voulez bien m'expliquer ce qu'elles signifient ?

— Si je le peux, bien sûr.

— La première est « Entrepôt sous contrat ». La deuxième : « cahier des charges ». Il y a une petite flèche pour relier les deux.

— Ah, oui, je vous ai sans doute donné l'exemple d'une entreprise qui travaille avec l'architecte afin d'établir une liste des matériaux qu'il devra commander pour un chantier donné. S'il fait sa commande longtemps avant l'utilisation des matériaux, il doit passer contrat avec un entrepôt.

Susan fit un effort pour comprendre.

— Je ne vois pas le rapport avec la fraude…

— Il n'y en a pas obligatoirement, mais c'est un point de départ possible. Disons que l'entreprise commande des plinthes de bois. L'architecte a spécifié « du bois d'érable », mais l'entreprise commande du peuplier, qui est moins cher. Au moment des finitions, on passera un vernis érable, et le tour sera joué.

Vernis érable ! C'était l'un des éléments de la liste établie par Brett !

— L'architecte ne verra probablement pas la différence, poursuivait le professeur. Les plinthes sont en place ; elles sont, apparemment, en érable : il va signer la facture, et on réglera le prix du bois d'érable. C'est dommage, parce que l'architecte est censé protéger le propriétaire. De son côté, l'entreprise envoie un chèque au fournisseur du peuplier et du vernis, et il met la différence dans sa poche.

— Je comprends ! Maintenant, expliquez-moi l'exemple que vous avez donné au sujet de l'entrepôt.

— C'est une variante de la même manœuvre. Disons que l'architecte a prévu une baignoire en fonte. L'entreprise la commande à l'avance ; elle est transférée à l'entrepôt, mais, entre-temps, on commande une autre baignoire, en acier, cette-là, et on l'installe tout de suite. Il est probable que ni l'architecte ni l'inspecteur du bâtiment ne remarqueront que la baignoire ne correspond pas au cahier des charges. Lorsqu'il est payé, l'entrepreneur paie à son tour sa baignoire en acier, renvoie la baignoire en fonte au fournisseur, se fait rembourser, et se met une somme rondelette dans la poche.

— Ce sont des pratiques courantes, dans le bâtiment ?

— Bien trop courantes, malheureusement. La chose à faire, maintenant, c'est de comparer le cahier des charges, les commandes et les factures. Les trois doivent correspondre en tout point. Si ce n'est pas le cas, vous saurez ce qui s'est passé. Trouvez alors un inspecteur indépendant, qui fera une visite sur le site pour recenser tous les matériaux sur lesquels l'entreprise a trompé le propriétaire. A votre place, je m'adresserais à un cabinet d'architectes jeune et actif. Ils pourront vous recommander un inspecteur, et répondre à toutes sortes de questions techniques qui sont hors de mes compétences.

Susan se sentit envahie par une véritable euphorie. Elle tenait sa solution !

— Professeur, je ne sais pas comment vous remercier. Vous venez de me rendre un immense service.

— Tant mieux. Je suis content d'avoir pu vous aider.

— Mon mari me dit que votre livre était une véritable bible pour moi.

— Je suis flatté. Et je vous souhaite bonne chance. Tenez-moi au courant !

— Je vous appellerai, c'est promis. Merci encore.

Elle raccrocha, et alla s'asseoir devant l'ordinateur. Cette fois, elle savait exactement où elle allait. Elle appela le premier fichier. En étudiant les titres, elle se dit que d'autres comptables avaient dû travailler pour l'entreprise, dans le cadre de la gestion du personnel, du casino, des restaurants et des boutiques de L'Etoile.

Johnny Drummond avait confié au Lytie Group à la fois la construction de l'immeuble, la piscine et les espaces verts.

Susan retrouva les colonnes concernant le paysagiste, l'architecte, le maître d'œuvre… Seize entreprises avaient participé au projet. Pour chacune d'elles, il y avait d'interminables listes de matériaux.

Le professeur lui avait dit de s'assurer que tout correspondait. Compte tenu de l'ampleur du chantier, cela prendrait du temps, mais elle vérifierait chaque colonne. S'il y avait des différences, elle les trouverait.

— Salut, m'man !

Elle fit pivoter son fauteuil.

— Bonjour, mon grand ! Tu viens de te lever ?

— Non, ça fait déjà un petit moment. Tu es déjà au travail ? Je t'avais bien dit que l'ordinateur, c'était facile.

— Tu me l'avais dit, oui.

— Ça fait longtemps que tu es là ?

— Une petite heure.

— Je t'ai entendue au téléphone. Tu parlais à qui ?

— Mon ancien professeur de compta', en Californie. Il m'a donné des indications : je sais ce que je dois faire, maintenant.

— Génial ! Tu veux un coup de main ?

— Tu me montres comment imprimer ces tableaux ?

— Regarde…

Il lui expliqua la procédure, puis demanda :

— Et papa, il est où ?

— Il dormait à poings fermés quand je suis descendue.

Leur nuit d'amour avait été si fabuleuse qu'en se réveillant, Susan se sentait prête à recommencer. Elle était folle de Grady, et elle espérait bien que sa passion fût partagée…

Allongée près de lui, elle était restée longtemps immobile à admirer son grand corps abandonné. Puis elle lui avait demandé de se réveiller, mais, voyant qu'il ne bougeait pas, elle avait décidé de se lever la première : elle se sentait prête à conquérir le monde.

Plus vite elle retrouverait celui qui avait tenté de la tuer, plus vite leur existence pourrait reprendre son cours normal. Une vie nouvelle s'ouvrait devant eux. Elle aurait voulu crier à la face du monde qu'elle était vivante et incroyablement heureuse ! Si heureuse que c'en était presque effrayant…

— Tu as faim ou tu veux attendre ton père ? demanda-t-elle en cliquant sur Imprimer.

— J'ai déjà mangé des céréales.

Elle se retourna à demi pour lui sourire.

— J'aurais dû m'en douter. Bon, viens t'asseoir près de moi. Grâce à mon ancien professeur, j'ai retrouvé le cahier des charges et les bons de commande, et je sais ce que nous devons vérifier. Regarde, voilà des fournitures en électricité. Tu n'as qu'à me lire la liste, et je pointerai sur le cahier des charges. On verra bien si ça correspond.

Brett s'assit, les jambes enroulées autour des pieds de sa chaise — sa position habituelle quand il se concentrait —, et il se mit à lire.

Ils vérifièrent vingt éléments : tout correspondait. Sans se décourager, Susan imprima le tableau suivant, et ils continuèrent. Ce fut seulement en arrivant aux câbles qu'elle trouva un problème.

— Attends, Brett : relis-moi le dernier !

— Câble calibre douze. $ 7,95 les vingt mètres. La commande est de seize mille cinq cents mètres, soit $ 6 558,75.

— Ma facture concerne du câble calibre dix. Les vingt mètres coûtent seize dollars, et il y en a seize mille cinq cents mètres, soit $ 13 200.

Ils échangèrent un regard atterré.

— Maman… ça fait une différence de plus de six mille dollars !

Susan tremblait d'excitation.

— Voilà notre premier décalage. Je le souligne, et on continue.

Ils travaillèrent encore une heure, avançant peu à peu dans les interminables listes.

— Ventilateur de salle de bains, soixante-dix pieds cube la minute, à 27 dollars X 4 050 = $ 109 350.

— Ma feuille parle de ventilateurs brassant 210 pieds cube la minute, $ 60 dollars pièce pour 4 050 chambres. Un total de deux cent quarante trois mille dollars. Vite, Brett, regarde la liste que tu avais faite !

Il sortit leurs premières feuilles d'un tiroir.

— Ouais, les ventilateurs y sont !

— Ces petites lettres signifiaient les pieds cube à la minute ! s'exclama Susan en prenant sa calculette. Voilà une différence de $ 133 650 !

Son cerveau fonctionnait à toute allure. Lâchant ses papiers, elle se tourna vers l'ordinateur, afficha les tableaux traitant de la décoration intérieure, imprima les feuilles, et se mit à chercher le vernis érable.

— Oh, Brett, on vient de toucher le jackpot !

— Quoi, quoi ?

— Un bon de commande pour des plinthes en peuplier, alors que le cahier des charges indique de l'érable. Il y a une différence de… tiens-toi bien, cette fois, c'est $ 222 000 !

Elle saisit la liasse entière, et se rua hors de la pièce, suivie par Brett.

— Grady ! cria-t-elle en grimpant l'escalier quatre à quatre.

Il se précipitait vers elle en nouant la ceinture de son peignoir, si bien qu'ils faillirent se percuter au premier étage. Il s'arrêta net... et son parfum familier rappela à Susan leur merveilleuse nuit d'amour.

— Doucement, dit-il en lui saisissant les bras. Il y a un problème ? Tu t'es souvenue d'autre chose ?

Ces yeux ! Il la suppliait de lui donner enfin la bonne réponse, et elle ne pouvait toujours pas le satisfaire. D'un seul coup, la joie qui la soulevait s'évanouit. Ne venait-il pas de lui prouver, sans l'ombre d'un doute, que c'était l'ancienne Susan qu'il voulait ? A quoi bon espérer le contraire ? Il y avait bien eu cette nuit, mais... elle comprenait tout à coup qu'il ne fallait pas y attacher trop d'importance. Ils avaient éprouvé un plaisir immense, mais sans échanger de petits mots tendres ou de rires complices, comme c'est le cas chez les couples heureux. Il lui avait fait l'amour, mais son cœur et son âme n'étaient pas au rendez-vous.

Il n'était pas en faute. Autant lui demander de cesser de respirer que d'oublier sa Susan à lui ! Chaque fois qu'ils feraient l'amour, elle saurait qu'il cherchait uniquement en elle des gestes familiers, qu'il espérait de toutes ses forces un changement qui lui rendrait sa femme. Entre-temps, il lui serait fidèle, pour le meilleur et pour le pire — mais elle ne connaîtrait jamais la plénitude de son amour parce qu'il le réservait à la femme qu'il avait épousée.

Cette nuit d'amour était une erreur. Elle veillerait à ne pas la renouveler. Si elle faisait l'amour avec Grady, elle aurait, chaque fois, l'impression de mourir un peu. Et, bientôt, il ne lui resterait plus rien. Elle ne pouvait pas prendre ce risque.

— Pas de nouveau souvenir, non, murmura-t-elle. Mais nous avons trouvé des preuves, Brett et moi.

Elle avait ajouté ça très vite, pour ne pas voir son visage se fermer. Commençant par sa conversation avec le Pr Seedall, elle lui expliqua tout le chemin parcouru, puis lui tendit les documents.

— Tout est là, papa ! cria Brett derrière elle. M. Stevens a volé beaucoup d'argent à M. Drummond !

— Il a raison, Grady. Nous avons vérifié des centaines de matériaux sur les listes, et, jusqu'ici, on en a trouvé trois qui ne correspondent pas. Rien que pour ces trois-là, Jim a reçu presque $ 400 000 de trop. J'ai l'impression que ce n'est que la pointe de l'iceberg : il a pu se mettre des millions dans la poche !

Du bout du doigt, elle lui indiqua les lignes concernées, et Grady les étudia, le visage dur.

— Visiblement, reprit-elle, il s'en est tenu à des matériaux correspondant au Code du bâtiment. Voilà comment il a pu passer les inspections. La plupart des architectes font confiance à leur maître d'œuvre ; ils ne vérifient pas les chiffres aussi minutieusement — surtout sur un chantier d'une telle envergure. Et puis, beaucoup de comptables n'y regardent pas d'aussi près. Jim a dû finir par penser qu'il pouvait se permettre n'importe quoi. Alors, quand on lui a confié le chantier de L'Etoile... Je parie qu'il ne s'attendait pas à ce que Drummond mette une firme comptable aussi sérieuse sur le coup.

— Ouais, marmonna Brett. Il va s'apercevoir qu'on ne peut pas jeter de la poudre aux yeux à maman.

Susan sourit à son fils, puis se retourna vers Grady.

— Pourquoi le Lytie Group était-il chargé de ses impôts ? Est-ce que je te l'avais dit ?

Il hocha la tête.

— Johnny Drummond a construit son premier hôtel à Reno ; il travaillait avec une firme comptable locale. Tu m'as expliqué que, quand il a construit L'Etoile, il a décidé de regrouper ici les aspects casino et salaires des deux hôtels, de façon à mieux contrôler l'entreprise. Apparemment, il a bien fait : le Lytie Group a fait du bon boulot pour lui. A tel point que Jim Stevens a sans doute été obligé d'assassiner leur meilleur comptable pour sauver sa peau.

— Mon patron a donné le dossier à quelqu'un d'autre, après moi ?

— Non. D'après Boyd Lowry, Drummond s'est énervé quand on lui a parlé d'un troisième comptable. Il a tout confié à la firme de Reno.

Elle resta pensive quelques secondes.

— M. Beck était mort, j'étais censée l'être aussi… il commençait à se douter de quelque chose ?

— Oui, mais tout semblait accuser Geoffrey LeBaron.

— Quand M. Drummond va découvrir ce qui s'est réellement passé…

— Ce sera un gros choc pour beaucoup de gens.

— Brett, grâce à toi, on saura tout avant la fin de la journée.

— Pourquoi ?

— Tu te souviens des listes que tu as faites à partir des lettres que j'avais griffonnées sur le calendrier ? Jusqu'ici, deux initiales correspondent aux matériaux sur lesquels il a triché. Je crois que tu as trouvé la clé de mon code ! On n'est plus obligés de tout vérifier : on va aller beaucoup plus vite en s'en tenant aux matériaux qui commencent par les initiales en question. Tu es un génie !

— Vous êtes des génies tous les deux, dit gravement Grady.

Susan se mit à arpenter le couloir d'un air survolté.

— M. Beck a dû découvrir certains écarts de chiffres, et téléphoner au bureau de Jim pour lui poser des questions !

— L'erreur fatale, murmura Grady, le regard lointain. Jim a dû être fou en s'apercevant qu'on t'avait confié les clients de Beck. Dès cet instant, tes jours étaient comptés… et on ne se doutait de rien.

Elle frémit.

— Ce que j'aimerais savoir, c'est comment Jim a appris que M. LeBaron était aussi un de mes clients.

— C'est ma faute, m'man.

— Pourquoi ?

— Quand tu as décroché ton premier client, tu nous as raconté, à papa et à moi, que M. LeBaron avait une fabrique de feux d'artifice. J'ai trouvé ça extra, alors j'ai téléphoné à Mike pour lui en parler. On espérait que, quand tu le connaîtrais mieux, tu pourrais nous avoir des prix sur les pétards.

Malgré elle, Susan éclata de rire.

— Je comprends mieux ! Mais, tout de même, comment a-t-il pu savoir que je serais à l'usine le matin de l'explosion ? Ces bombes étaient très sophistiquées : on n'a pas pu les poser en cinq minutes !

— Je sais ça aussi, répliqua Brett. On était tous ensemble à la piscine, la semaine d'avant. J'ai entendu Mme Stevens nous inviter pour ce jour-là, parce que Randy participait à une course avec sa bécane, et ils avaient des places pour nous. Tu lui as dit que tu devais retrouver M. LeBaron en début de matinée pour une séance de travail qui durerait peut-être toute la journée. Comme elle avait l'air très déçue, tu lui as expliqué que c'était un client hyper-nerveux, et que tu mettrais un certain temps à le rassurer et à lui faire admettre qu'il n'avait pas de souci à se faire.

— C'est vrai, confirma Grady. Moi aussi, je me souviens de cette conversation. On a décidé que tu dormirais chez eux, Brett, pour pouvoir les accompagner le lendemain. Moi, j'avais des rapports à terminer d'urgence. Je me demande... ça ne me surprendrait pas que les types qu'on a arrêtés hier soient ceux qui étaient chargés de se débarrasser de ta mère et de LeBaron.

Le regard fixé sur ses poings crispés, Susan demanda :

— Grady ? Tu m'as dit que les Stevens avaient quitté le quartier il y a un an. C'était longtemps avant d'achever le chantier de L'Etoile ?

— Six semaines. Tu avais déjà commencé à travailler pour le Lytie Group.

— Tout se tient, alors ?

— J'en ai bien peur.

— Je viens de penser à autre chose. Tu te souviens, quand tu m'as ramenée ici, tu m'as dit que je n'avais jamais discuté du dossier Drummond avec toi, et tu ne comprenais pas pourquoi...

Il eut une grimace fugitive.

— Tu m'as aussi dit qu'Ella travaillait pour son mari, enchaîna-t-elle. J'ai l'impression que nous l'aimions beaucoup, tous les deux. Mais quand j'ai découvert que Jim volait des centaines de milliers de dollars à M. Drummond, j'ai peut-être cru qu'elle participait à ses filouteries. Pour moi, ça devait être épouvantable, et toi, tu es un policier — je ne pouvais pas me permettre d'en parler avec toi tant que je n'étais pas tout à fait certaine de ce que j'avançais. Quand on pense qu'en plus, Mike est le meilleur ami de Brett...

Il y eut un bref silence, puis Grady soupira :

— C'est une excellente explication.

« Mais tu n'es pas tout à fait sûr que ce soit la bonne ! pensa-t-elle. J'espère, oh, j'espère que c'est la raison pour laquelle je ne suis pas venue te trouver tout de suite, mon amour ! Je voudrais tellement pouvoir balayer les ombres qui sont encore entre nous ! »

Elle se tourna vers son fils.

— Je suis désolée que ce soit justement le père de Mike.

— Moi aussi...

— Si Ella est innocente, la nouvelle va être très dure à encaisser pour elle et pour son fils.

— Il doit se mettre de l'argent dans la poche depuis des années, marmonna Grady. Je comprends, maintenant, comment il a pu se faire construire une maison pareille, et se payer tous ses voyages et tous ses gadgets. Je savais qu'on pouvait faire fortune dans le bâtiment, mais à ce point-là...

Les yeux de Brett se remplirent de larmes. Des larmes de colère.

— Comment est-ce qu'il a pu m'inviter au restaurant, et me demander ce que je pensais de L'Etoile avec cet air tout fier de lui, après avoir fait ça à maman ? Je le déteste !

— Jim est très malade psychologiquement, murmura son père.

Susan approuva vigoureusement de la tête, et ajouta :

— Quand on saura la vérité, Mike aura plus que jamais besoin de son meilleur ami.

— Papa ? Tu crois que Mme Stevens savait, pour maman ?

Grady réfléchit un moment.

— Je n'en suis pas sûr, répondit-il finalement. Disons qu'elle a pu se douter qu'il volait ses clients sans vouloir l'admettre tout à fait. Beaucoup de conjoints fonctionnent de cette façon, en refusant de voir certaines choses : ils dépendent trop l'un de l'autre pour exiger des explications. De toute façon, Jim va être arrêté et, d'une façon ou d'une autre, on saura la vérité sur Ella avant que le juge ne donne son verdict.

— Est-ce qu'il sera condamné à mort ?

— La peine de mort existe dans l'Etat du Nevada, mais on ne l'applique guère. Ce sera probablement la prison à vie pour lui et ses hommes de main.

— Je voudrais voir sa tête quand il apprendra que maman est vivante !

« Oui, pensa Susan, je suis vivante, mais je ne suis plus tout à fait celle que j'étais avant. »

Elle prit les feuilles des mains de Grady, et se dirigea vers l'escalier.

— Je vais préparer le déjeuner. Venez me rejoindre quand vous serez habillés. Ensuite, je terminerai ces fameux comptes.

Evitant de croiser le regard de son mari, elle se hâta de descendre.

Grady était au désespoir. Comme un imbécile, il avait supposé qu'une nuit d'amour agirait comme un catalyseur en faisant rejaillir des années de souvenirs intimes. Il s'était trompé !

Susan avait, bien plus que lui, la capacité de regarder la réalité en face. Quand elle avait tenté de le mettre en garde, il n'avait pas voulu l'écouter. Ses propres paroles le hantaient encore. *Si tu te souviens de quelque chose, c'est parfait. Sinon, ça ne va pas nous empêcher de vivre.*

Un frisson désagréable le parcourut. Sur le moment, il pensait ce qu'il disait, mais c'était avant de la prendre dans ses bras. Quel choc de se retrouver en train de faire l'amour à une inconnue !

La différence entre la Susan qu'il avait épousée et celle avec laquelle il vivait, à présent, était bien plus évidente dans le noir. Il pensait que ce serait le contraire… C'était peut-être insensé, mais il avait eu l'impression d'être le premier homme dans la vie d'une jeune femme. Une femme de trente-six ans, mature, belle, désirable et sûre d'elle... mais qui n'aurait jamais connu aucun homme.

Il ne parvenait pas à se débarrasser de l'impression qu'il avait trompé Susan avec une certaine Martha Walters. Les psychiatres avaient sûrement un nom pour ce qu'il ressentait. L'expérience avait été très agréable, mais, pour l'amour du ciel, sa femme lui manquait toujours...

Renonçant à démêler ses émotions contradictoires, il sortit son portable et appela son patron.

— Commissaire ? Grande nouvelle !

— Votre femme a recouvré la mémoire ?

Il crispa violemment la main sur l'appareil.

— Non, mais je sais qui a cherché à la tuer.

— Et c'est... ?

— Jim Stevens. J'ai vu les preuves.

Pendant dix minutes, il présenta les faits à son supérieur, comme il l'aurait fait dans n'importe quelle enquête.

— Un véritable exploit de la part de votre femme. Même sans souvenirs, elle a réussi à retrouver la piste !

— Brett a participé aux recherches. Ils ont fait un travail incroyable, tous les deux.

— Je suis très impressionné. Et j'imagine ce que vous ressentez !

— Moi, je suis encore sous le choc de l'avoir retrouvée...

— Moi aussi, j'ai peine à le croire... Bon, Grady, on va foncer. C'est vous qui êtes aux commandes. Comment voulez-vous faire ça ?

— D'ici à ce soir, Susan aura terminé ses vérifications. Si vous pouvez m'envoyer Matt avec Mme Harmon en début de soirée, il prendra les dossiers pour les apporter à Boyd Lowry. Ensuite, on décidera d'une stratégie pour l'arrestation.

— D'accord. Je préviens le bureau du procureur. Maintenant que nous tenons le cerveau de l'affaire, on devrait pouvoir obtenir des aveux complets des deux oiseaux qu'on a surpris chez vous. Deux assassinats plus une tentative de meurtre, ça pourrait aller loin.

— Deux siècles de prison à se répartir entre eux…

— Amen. Tenez-moi au courant.

— Bien sûr.

— Grady, quand tout sera fini, prenez un mois ou deux de congés, et offrez-vous une seconde lune de miel. Vous me comprenez ?

— Oui, commissaire, murmura-t-il. Merci.

Il raccrocha, mais l'euphorie qui aurait dû l'envahir à la pensée que le cauchemar se terminait n'était pas au rendez-vous. Qu'avait-il ? Tout simplement, il n'avait pas envie de partir en lune de miel. Pas sans sa femme !

Les larmes l'aveuglèrent. Il n'aurait pas dû lui faire l'amour, hier soir… Et si elle ne recouvrait jamais la mémoire ? Il osait à peine y penser. La situation leur échappait. Il risquait de lui faire de la peine et, pourtant, il fallait absolument qu'ils en parlent. Ils ne pouvaient pas simuler ; ils ne l'avaient jamais fait : ça ne leur ressemblait pas, ni à l'un ni à l'autre. Sa « nouvelle » femme était aussi franche que l'ancienne Susan, en plus directe…

Il fit un effort pour repousser la panique qui l'envahissait, et alla s'habiller.

— Papa ?

Sans se retourner, il lança gaiement :

— Tu es déjà prêt ? J'arrive.

— Avant de manger, je veux te parler d'une idée que j'ai eue.

— Encore une idée ?

— Puisqu'on a tous bien travaillé, si on partait pour la Californie voir Mamie et Tonton Todd ? Avec la famille, maman recouvrera peut-être d'autres souvenirs. Moi, je n'ai pas cours avant lundi. Mme Harmon pourrait nous faire sortir discrètement dans sa voiture, et ensuite, on en louerait une autre. Si on roulait de nuit, personne ne nous verrait.

Grady contempla son fils. Il le trouvait particulièrement inspiré, ces temps-ci ! Lui qui croyait toucher le fond, il voyait tout à coup une lueur d'espoir.

Il serra Brett dans ses bras un court instant.

— Qu'est-ce que je ferais sans toi ? On va téléphoner à ton oncle tout de suite.

— Ouais !

— Il doit être à son bureau.

— Je connais le numéro. Je peux lui dire ?

— D'accord. C'est toi qui as retrouvé ta mère : c'est à toi d'annoncer à la famille qu'elle est vivante.

Il s'assit au bord du lit. Brett prit solennellement le portable qu'il lui tendait, et composa le numéro.

— Je voudrais parler à M. Nilson, s'il vous plaît. C'est son neveu, Brett.

Puis, quelques instants plus tard :

— Salut toi-même ! dit-il avec un sourire radieux. Qu'est-ce que tu donnerais pour revoir ma mère ?

Grady réprima une grimace. Il imaginait trop bien la réaction de Todd au bout du fil.

— Ne me demande pas pourquoi je te pose cette question ! lança le garçon en jubilant. C'est pas une réponse, ça !

Puis son sourire s'effaça, et il fronça les sourcils.

— Je sais bien que tu es occupé, mais ne raccroche pas tout de suite : c'est trop important… Maman n'est pas morte dans l'explosion. Elle est vivante !

De plus en plus décontenancé, il tendit l'appareil à son père.

— Tonton veut te parler. Il est dans tous ses états.

202

Grady comprenait assez son beau-frère. Apparemment inconscient du choc qu'il venait de lui infliger, Brett se dirigeait déjà vers la porte.

— Je vais dire à maman de venir lui parler.

— Donne-moi cinq minutes.

— D'ac'.

Il sortit, et Grady plaqua le portable à son oreille.

— Todd, c'est Grady. Tout ce que Brett t'a dit est vrai. Reste assis, et écoute-moi.

Il entreprit de lui raconter toute l'affaire. Il se sentait lui-même profondément bouleversé par l'émotion de Todd, et il ravalait ses larmes en l'entendant pleurer.

— Elle se souvient de Brett, et elle a retrouvé quelques images de toi quand vous étiez petits, mais c'est tout pour l'instant.

Il y eut un long silence sur la ligne, puis Todd demanda :

— Et toi ? Tu tiens le choc ?

— Pas très bien, avoua-t-il.

— Maman ne va pas vouloir me croire...

— Ce sera mieux si tu le lui dis toi-même. On pensait, avec Brett, que si on prenait la route ce soir, après la tombée de la nuit...

— Je rentre tout de suite annoncer ça à Beverly ! On prépare tout pour vous accueillir.

— Avant que tu ne raccroches, il y a quelqu'un ici qui voudrait te parler.

Brett et sa mère venaient d'entrer dans la chambre. D'une main tremblante, Susan prit l'appareil qu'il lui tendait.

— A... Allô ?

12.

— Susie ? Frangine ? C'est vraiment toi ?

— Todd ! cria-t-elle.

Cette voix… et ce petit nom : Susie… Dans un vertige, les souvenirs s'engouffrèrent en elle. Son frère, ses parents, la maison… C'était trop. Elle vacilla, et le téléphone lui glissa des mains.

— Grady, je ne me sens pas bien…

Il la prit dans ses bras, et l'aida à s'allonger sur le lit. Quelque chose bourdonnait dans sa tête. Elle entendait, de très loin, Brett dire à son oncle qu'ils le rappelleraient… Où était-elle ?

Le visage de Grady apparut devant ses yeux, et elle retrouva son calme.

— Tu t'es rappelé quelque chose ? lui demanda-t-il. Dis-moi.

— Quand il m'a appelée Susie, frangine, une foule de souvenirs me sont revenus d'un seul coup, murmura-t-elle. Je me souviens de ma famille. Maman, papa, Bev' et les filles, Todd, la maison, la plage…

Les larmes l'aveuglèrent, et elle sanglota :

— Grady, je ne sais pas pourquoi je ne retrouve rien de notre vie à tous les deux !

— Ne t'en fais pas, maman.

Brett se penchait vers elle, de l'autre côté du lit.

— Ç'a dû être trop affreux, ce qui s'est passé à l'usine, avant qu'on t'emmène dans le désert. Tu devais savoir que tu allais mourir, et tu as eu si peur de ne jamais revoir papa que tu ne veux pas revivre ça.

Elle ferma les yeux. « Tu as entendu, Grady ? pensait-elle. Merci, mon fils adoré, merci. »

— Oui, mon grand, lui dit-elle. C'est sûrement ça.

— Je suis d'accord, murmura Grady. Ecoute-moi, Brett a encore eu une bonne idée. Tu aimerais partir pour la Californie dès ce soir, pour aller voir ta famille ?

— Oui ! Oh, oui !

Oui, elle voulait les voir. Et, en partant ce soir, elle éviterait le moment de gêne inévitable qu'elle s'attendait à ressentir au moment de monter dans sa chambre avec son mari ! Ils n'auraient ni l'un ni l'autre à chercher des prétextes pour ne pas dormir dans le même lit.

— Alors, c'est décidé. Comment te sens-tu, maintenant ?

— Bien mieux. Je vais me lever.

Avec beaucoup de douceur, il l'aida à se remettre sur pied.

— Tu es sûre que ça ira ?

— Oui. Tu peux me lâcher.

« Et je te promets que tu n'auras plus à me toucher, à l'avenir... »

— Le déjeuner est prêt depuis un bon moment, dit-elle. J'ai déjà grignoté en vous attendant : je vais me remettre au travail.

— On avale quelque chose en vitesse et on vient t'aider, Brett et moi. Matt passera ce soir avec Mme Harmon ; on lui donnera tout ce que tu auras trouvé.

— Maintenant que je sais ce que je cherche, ça va aller beaucoup plus vite. Je devrais avoir terminé avant notre départ.

Il était 13 h 30. A 19 heures, elle décida que tout était bouclé.

— Et voilà ! s'écria-t-elle.

Elle prit les dernières feuilles dans l'imprimante, les glissa dans une chemise, y joignit la disquette, et éteignit l'ordinateur.

— Et le total se monte à… ? demanda-t-elle en se tournant vers Grady qui additionnait les chiffres sur une calculatrice.

— C'est invraisemblable, mais Jim a empoché près de deux millions. Même en ayant versé des sommes coquettes à ses assassins, il lui reste une fortune.

Susan secoua la tête.

— Je donnerais beaucoup pour voir ses déclarations d'impôts.

— Je comprends comment Randy s'est acheté sa moto à vingt mille dollars ! s'écria Brett.

— Quand on voit ce que ça coûte de construire un hôtel de quatre mille chambres à Las Vegas, même des sommes pareilles passent inaperçues. Mon professeur avait raison : tous les matériaux sur lesquels il a triché ont tout de même passé l'inspection.

— Sauf que, d'ici à quelques années, les matériaux de mauvaise qualité seront usés, et il y aura des problèmes et des frais supplémentaires.

— Pauvre M. Drummond !

— Oh, m'man, il ne verra pas la différence !

— C'est là que tu te trompes, affirma Grady. Il est peut-être le propriétaire, mais il a des comptes à rendre à ses actionnaires. Et ce n'est pas parce qu'il est riche qu'on a le droit de le voler. A cause de la malhonnêteté de Jim, il devra faire des réparations importantes dans un délai relativement court. Tout le monde est perdant dans cette affaire.

Voyant que Brett était un peu gêné de la réplique de son père, Susan se leva et lui dit :

— Viens, mon grand. Matt et Mme Harmon vont arriver d'une minute à l'autre. On n'a qu'à laisser ton père leur parler et nous occuper des bagages. Tu vas me montrer où on range les valises. Si tu savais comme je suis contente de revoir l'océan !

— Tu savais que Tonton avait un nouveau chien ?

— Et Lumpy, alors ?

— Ils ont été obligés de le faire piquer.

— Oh, non… Ils ont pris un autre terrier ?

— Non. Tata Beverly aimait trop Lumpy : ils ont préféré pendre un autre genre de chien. C'est une petite labrador noire. Ils ont envoyé des photos. J'ai hâte de jouer avec elle.

— C'était il y a longtemps ?

— Je ne sais pas… trois mois.

— Alors, elle a déjà bien grandi. Comment l'ont-ils appelée ?

— Susie.

Grady alla jusqu'à la porte pour suivre un peu plus longtemps leur voix dans l'escalier.

Susan allait-elle se souvenir de Gypsy, le boxer de sa grand-mère ? La vieille chienne avait encore vécu avec eux six ans après la mort de sa maîtresse, et Susan s'était tellement attachée à elle qu'elle n'avait pas voulu d'autre chien, ensuite.

D'ailleurs, à l'époque, Susan pensait surtout à avoir un autre enfant…

Le bruit de la porte du garage interrompit ses pensées. Il se dirigea vers le couloir pour accueillir les visiteurs.

— J'avais raison, alors, au sujet de M. Stevens ! dit tout de suite Mme Harmon.

Grady approuva de la tête, puis leva les yeux vers Matt.

— Il a empoché près de deux millions.

Sur une exclamation outrée, Mme Harmon les quitta pour se mettre au travail. Impressionné, Matt siffla entre ses dents.

— Sean Mills a demandé la permission de passer un coup de fil, annonça-t-il. Il a appelé l'avocat qui le représentait au moment de la mort de Beck. Son collègue s'appelle Sykes, et il a pris le même avocat.

— Ils ont fait des aveux ?

— Pas encore.

— Jim a dû apprendre par cet avocat qu'ils avaient été arrêtés, dit Grady en tendant à son ami la grande enveloppe contenant les disquettes et les feuillets imprimés.

— C'était une excellente idée, ce soi-disant voyage en Floride. Ils croient qu'ils ont été pris par hasard, et Stevens sait que, tant que ses deux oiseaux ne chantent pas, on ne peut pas le toucher. Il n'a aucun intérêt à attirer l'attention sur lui : il va donc se tenir bien tranquille jusqu'à ce que nous soyons prêts à le cueillir. Il s'imagine sans doute que tu vas croire à un cambriolage raté.

— Il faut maintenir cette version pour l'instant. D'après Mme Harmon, les Stevens ne reviennent du Mexique que dimanche. Moi, j'emmène ma famille en Californie dès ce soir. Nous reviendrons dans la soirée de dimanche.

— Tu pars comment ?

— Je loue une voiture. Je vais demander à Mme Harmon de m'aider.

— J'ai une meilleure idée. Tiens, prends les clés de ma voiture. Elle est garée dans le garage de notre petite auxiliaire de choc. Je dirai à Jennifer que je suis en panne, et elle viendra me chercher avec la sienne.

— Tu seras embêté, sans voiture.

— Mais non ! J'en emprunterai une au commissariat demain matin. Tu ferais la même chose pour moi, non ? Allez, bon voyage. Je livre tes preuves au patron, et c'est toi qui décides quand tu veux refermer le filet sur Stevens.

Grady empocha la clé en souriant. Au même moment, Mme Harmon revenait vers eux, très affairée.

— Voici le courrier, dit-elle en tendant quelques enveloppes à Grady.

— Vous êtes un ange. Dites, est-ce que ça vous ennuierait de faire deux allers-retours entre ici et chez vous, ce soir ?

— Bien sûr que non !

— Merci. Je laisse Matt vous expliquer pendant que je vais chercher la famille.

Spontanément, il l'embrassa avant de courir à l'étage.

Susan se trouvait dans leur chambre avec Brett. Sur le lit, il vit trois valises pleines à craquer.

— On ne part que cinq jours !

— Je préfère prendre trop de choses que pas assez.

— Tu as toujours fait comme ça, m'man ! lança Brett en riant.

— C'est vrai ?

— C'est pour ça que j'ai des problèmes de dos ! affirma Grady pour la taquiner.

Quel plaisir de sortir de cette maison ! songea-t-il. Ni Brett ni Susan ne s'étaient plaints, mais eux aussi devaient en avoir assez d'être enfermés ici. Les cinq heures de route jusqu'à la côte leur feraient le plus grand bien. Une riche idée, ce voyage. Une fois de plus, il pouvait remercier son fils.

— On y va ?

Chacun se précipita pour rassembler quelques objets de dernière minute, puis ils descendirent au garage, accompagnés de Matt.

Voyant Susan se diriger vers le coffre, Grady lui saisit le bras.

— Quoi ? demanda-t-elle, surprise. Jim Stevens n'est pas encore en prison : il faut cacher ma présence.

— Oui, mais, cette fois, c'est moi qui prends le coffre.

Elle ouvrit de grands yeux affolés.

— Et si quelqu'un nous emboutit par-derrière ?

— Il n'y a que trois kilomètres à parcourir comme ça. Et puis, je ne vois pas en quoi ce serait plus grave si c'était moi qui subissais le choc !

— Je vais demander à Mme Harmon de rouler lentement.

Elle se faisait du souci pour lui ! Du coup, il se sentait coupable. Au fond, c'était lui qui faisait fausse route en étant incapable de l'accepter telle qu'elle était — du moins dans leur lit.

La rejetait-il inconsciemment parce qu'il s'était lui-même senti rejeté par elle ? Pouvait-il se montrer aussi égoïste, aussi cruel ? Elle faisait tout son possible ; elle faisait preuve d'un courage stupéfiant, une détermination, une intelligence à toute épreuve ! Comment pourrait-il reprocher quoi que ce fût à une femme aussi tendre et généreuse ? Il n'était tout de même pas tombé assez bas pour se sentir jaloux de Brett et Todd ?

Dégoûté par ses propres pensées, il fit un effort pour repousser toute idée négative et se concentrer sur le voyage qui les attendait...

Susan eut l'impression qu'ils mettaient une éternité pour parcourir ces fameux trois kilomètres, et ce fut un soulagement quand la voiture s'immobilisa enfin.

Vite, ils transférèrent les bagages dans la voiture de Matt, et se cachèrent de nouveau.

Selon leur plan, Mme Harmon devait reprendre le volant et les conduire jusqu'à une station-service de la rocade, à la sortie de Las Vegas. De là, ils prendraient la route tandis qu'elle appellerait un taxi pour retourner chercher Matt.

Tout se déroula comme prévu.

— J'espère que vous passerez un moment formidable, dit Mme Harmon.

— C'est promis, dit Susan. Je ne sais pas comment vous remercier pour tout ce que vous avez fait pour nous.

— Figurez-vous que je me suis beaucoup amusée !

— Vous êtes géniale, madame Harmon, dit Brett en riant.

— Merci, mon chéri. C'est un compliment qui me va droit au cœur.

Une demi-heure plus tard, ils roulaient dans le désert, en direction de la Californie, comme ils l'avaient fait des douzaines de fois au fil des ans.

Susan était assise à côté de Grady, et Brett somnolait à l'arrière. Tout semblait parfaitement normal...

Normal ? En tout cas, Grady commençait à se dire qu'il allait sans doute devoir se contenter de cette situation, à l'avenir, et qu'il ferait bien de s'y habituer.

Bien plus tard — il était près de 4 heures du matin —, Susan entra avec sa mère dans la maison où elle avait grandi. Les retrouvailles chez Todd avaient été merveilleuses ; ils avaient beaucoup ri, un peu pleuré. Au moment où l'on commençait à parler d'aller se coucher, Susan avait exprimé le désir d'aller dormir chez sa mère.

Grady avait eu l'air surpris, mais elle avait deviné qu'au fond, il se sentait soulagé.

Trop heureux d'être avec ses cousines, Brett n'avait rien remarqué...

Ce fut seulement quand Susan se retrouva seule avec sa mère qu'elle comprit à quel point elle avait besoin d'elle.

Muriel Nilson était moins active, depuis la mort de son mari, mais elle restait fine et intuitive dans les rapports humains. Elle attira sa fille près d'elle sur le canapé du living, et la regarda attentivement.

— Tu veux bien me dire pourquoi tu as laissé Grady chez Todd ? Je sais combien tu l'aimes et, après cette affreuse séparation, j'avoue que je me pose des questions.

Susan sentit les larmes lui monter aux yeux.

— Oh, maman…

— Viens là, mon cœur.

Posant sa tête sur les genoux de sa mère, elle laissa enfin éclater ses sanglots.

— Il croit… que si je ne me souviens pas de lui… c'est parce que je ne l'aime pas. Ça lui fait si mal que… je n'arrive même plus à le regarder en face.

— Tu es de retour depuis une semaine à peine ! Il est encore en état de choc. Il finira bien par se rappeler à quel point tu l'as aimé pendant tout le temps où vous avez été mariés.

Susan se redressa vivement.

— C'est vrai, maman ?

— Quoi donc ?

— Je l'ai toujours aimé ?

La compassion qu'elle lut dans les yeux de sa mère lui serra le cœur.

— Depuis le jour de votre rencontre, tu n'as jamais regardé un autre homme. Quand tu l'as amené ici pour nous le présenter, ton père et moi avons tout de suite compris qu'il n'y aurait jamais personne d'autre pour toi. Même Todd était d'accord. Vous étiez fous l'un de l'autre. C'était merveilleux de vous voir ensemble…

Essuyant les larmes sur ses joues, Susan secoua la tête.

— Il s'est tout de même passé quelque chose. Il ne l'a pas dit clairement, mais tout tourne autour de ce travail que j'ai pris sans le consulter. Pourquoi est-ce que j'ai fait ça ?

Muriel regarda sa fille d'un air perplexe.

212

— Chérie, tu cherchais seulement à l'aider.

— Qu'est-ce que tu veux dire ?

— Jennifer Ross t'a dit un jour que, d'après son mari, Grady perdait de l'argent sur ses investissements et s'inquiétait beaucoup pour l'avenir. Tu étais bouleversée à l'idée qu'il ait pu garder pour lui une chose aussi importante. Tu m'as même téléphoné pour me confier ton désarroi. Je t'ai conseillé d'en parler avec Grady, mais tu ne voulais pas répéter ce que Jennifer t'avait dit en confidence. J'ai aussi cru comprendre que tu étais mariée à un homme très fier. Peu de temps après, tu m'as rappelée pour m'annoncer que tu avais décroché un poste dans le Lytie Group. Quand je t'ai demandé ce que Grady en pensait, tu m'as dit que tu ne lui en avais pas encore parlé. Tu cherchais un prétexte pour qu'il ne se doute pas que tu étais au courant de vos problèmes.

— Oh, maman, souffla Susan, le cœur battant. J'ai été stupide de ne pas lui parler !

— Jennifer n'aurait pas dû te répéter ce que son mari lui avait révélé.

— Grady ne vous a jamais dit, à toi ou à Todd, qu'il avait des ennuis d'argent ?

— Non. Et, d'ailleurs, je n'en ai vu aucun signe. Si Grady a été blessé que tu prennes cette décision sans lui, tu as été la seule à le savoir parce qu'il ne s'en est jamais plaint, ni à Todd ni à moi. Quant à Jennifer… je dois t'avouer que je n'avais plus une très bonne opinion d'elle. Quand on a appris la nouvelle effroyable… l'explosion… eh bien, je lui en ai voulu. Sans elle, rien de tout ça ne te serait arrivé. Pour être franche, je lui en veux encore.

— Oh, non ! s'écria Susan. Il ne faut pas. C'est ma faute : j'aurais dû suivre ton conseil et parler avec Grady de ce que j'avais appris.

Elle se leva d'un bond, et chercha le téléphone.

— Il faut que je l'appelle tout de suite !

Elle se précipitait vers la cuisine quand Muriel la rattrapa.

— Chérie, il est 5 heures du matin ; tu vas réveiller tout le monde. Laisse-le dormir : ça peut bien attendre encore quelques heures, non ?

Avec un long soupir tremblant, Susan reposa le combiné.

— Tu as raison. Oh, maman… merci.

Serrant sa mère dans ses bras, elle répéta :

— Merci. Maintenant que je sais ça, je pourrai peut-être le retenir un peu plus longtemps.

Sa mère se dégagea doucement pour pouvoir la regarder en face.

— Qu'est-ce que tu viens de me dire ?

Susan avala sa salive avec effort.

— La nuit dernière, on a fait l'amour pour la première fois. C'était fantastique, mais, ce matin, j'ai eu la nette impression qu'il le regrettait.

— De quelle façon ?

— Je ne sais pas comment dire… Il a pris ses distances ; il ne me traite plus de la même manière. Oh, il est toujours adorable, prévenant, mais je sens bien qu'il y a une barrière entre nous.

— Il espérait sans doute que tu te souviendrais de lui et, maintenant, il se replie sur lui-même pour se protéger.

— Tu crois ?

— J'en suis sûre.

Les larmes se remirent à couler sur ses joues.

— C'est bien de pouvoir te parler…

— C'est plus que bien de retrouver ma fille.

Muriel avait les yeux humides, elle aussi.

— Ma fille chérie. Et moi qui te croyais au ciel avec ton père !

Susan ne put s'empêcher de rire à travers ses larmes.

214

— Non, pas encore.

— Et pas avant longtemps, j'espère. Ta vie avec Grady ne fait que commencer.

— A condition qu'il veuille de moi.

— Grady n'a jamais pu se passer de toi ! Il faut garder confiance.

— C'est ce que le prêtre me disait.

— Le prêtre ?

Elles retournèrent à pas lents dans le living, tandis que Susan se lançait dans une nouvelle partie de son récit. Il y avait tant à dire, tant de blancs à remplir dans leurs vies à toutes deux, qu'elles parlèrent jusqu'à 9 heures du matin.

— Brett veut qu'on donne une énorme fête, la semaine prochaine, avec toute la famille, les amis, les collègues, pour annoncer mon retour à la vie. Qu'est-ce que tu en penses ?

Muriel éclata d'un grand rire.

— Je veux voir ça !

— Et Brett veut voir la tête de Jim Stevens avant que Grady ne l'arrête.

Le rire de Muriel s'éteignit, mais elle répondit avec beaucoup de conviction :

— Je crois que c'est pareil pour nous tous.

— Alors, tu trouves que c'est une bonne idée ?

— Je ne vois pas de meilleure façon de fêter ton retour et de mettre un terme à tout ce chagrin, toute cette incertitude. Ça ressemble bien à mon petit-fils de trouver une mise en scène aussi étonnante.

— Brett est incroyable. J'aurais aimé que tu l'entendes, quand ils sont venus chez moi tous les deux. « Vos cheveux ne sont pas de la même couleur, et ils sont plus courts, mais vous êtes ma mère. » Tu ne peux pas imaginer...

— Brett et toi, vous avez toujours été si proches. Quel effet ça t'a fait de regarder Grady et de réaliser qu'il était ton mari ?

— J'étais abasourdie, un peu paniquée. Fascinée, éblouie.

— Tu es amoureuse de lui comme au premier jour ?

— Je l'aime, oui, à la folie.

Elle quitta le canapé, et sourit à sa mère.

— Il est plus de 9 heures : tu dois être épuisée. Tu veux bien faire une dernière chose pour moi avant d'aller te coucher ? Je voudrais que tu sois là quand je vais dire à Grady ce que Jennifer m'a appris. Je l'appelle tout de suite et je lui demande de venir.

— Vas-y. Je dormirai plus tard.

Susan se rendit dans la cuisine pour appeler chez Todd. Ce fut Beverly qui décrocha.

— C'est toi ? Ça me fait encore sursauter d'entendre ta voix. Grady est dans l'autre pièce avec Todd et les enfants. Tu veux lui parler ?

— Non. J'aimerais juste que tu lui demandes de prendre la voiture et de venir chez maman. Seul. C'est urgent.

— O.K. Je te l'envoie.

— Merci, Bev'.

Susan raccrocha et se précipita dans la salle de bains pour se rafraîchir.

La maison de sa mère était toute proche de celle de Todd ; quand Grady entra, vêtu d'un short et d'un T-shirt, elle venait juste de reprendre sa place sur le canapé.

— Tu as fait vite, Grady, dit Muriel avec un sourire.

— Bev' m'a dit que c'était urgent.

Il semblait nerveux, assez anxieux. Cette explication allait être une épreuve, mais Susan savait qu'elle ne pouvait pas s'y soustraire. Elle prit une profonde inspiration, et se lança :

— C'est urgent, oui. Maman et moi, nous avons parlé toute la nuit, et elle m'a donné une information vitale. J'aimerais que tu l'entendes de sa bouche.

Le visage de Grady se fit plus grave encore. En silence, il se tourna vers sa belle-mère.

— Ne fais pas cette tête-là ! lui lança-t-elle gaiement. C'est quelque chose qui devrait te rendre heureux. Viens donc t'asseoir, Grady.

Prudemment, il obéit. Consultant sa mère du regard, Susan demanda :

— Avant tout, il faut que je te pose une question, et je te demande de me répondre très franchement.

— Quelle question ?

— Quelle est exactement notre situation financière ? Je sais qu'on a perdu sur nos investissements, mais est-ce que tu as été obligé de prendre une seconde hypothèque pour garder la maison ? C'est pour ça que vous n'êtes plus partis en vacances, toi et Brett, et que vous n'avez plus invité personne quand vous m'avez crue disparue ?

Il sauta sur ses pieds.

— Mais de quoi parles-tu ?

— Grady, ce n'est pas un problème. Ne me cache pas la vérité. Je sais de source sûre que tu as évité de me donner certaines informations pour m'épargner des soucis.

Il fronça les sourcils, à la fois choqué et incrédule.

— Nous n'avons aucun problème d'argent. Nous n'en avons jamais eu. Tu n'as qu'à appeler Stokes et Briarson : ils te donneront des chiffres très respectables pour te prouver que nos investissements ont très bien fonctionné, toutes ces années. De quelle source sûre parles-tu ?

Susan eut l'impression de recevoir un coup de poing dans l'estomac. Dans un murmure, elle répondit :

— Jennifer Ross.

Grady la regarda, interdit.

— Jennifer t'a dit que j'avais des ennuis d'argent ?

— Ta femme ne peut pas te répondre parce qu'elle ne s'en souvient pas, intervint Muriel de sa voix douce. Mais moi, je me souviens très bien de ce qu'elle m'a dit, à l'époque.

Pendant cinq minutes, Susan écouta sa mère répéter posément son histoire. A la place du soulagement qu'elle attendait, l'expression de Grady se fit encore plus orageuse.

— Tu as cru sur parole une petite manipulatrice tordue comme Jennifer Ross, au lieu de venir me parler ? C'est monstrueux ! Nom d'un chien, je ne sais pas ce qui me retient de…

La porte claqua. Il était parti, et ses éclats de voix résonnaient encore dans la pièce.

— Grady ! cria Susan en s'élançant derrière lui.

— Laisse-le ! lui conseilla Muriel. Il retient ses reproches depuis le jour où tu lui as appris que tu acceptais ce poste. Maintenant qu'il sait la vérité, il va pouvoir prendre du recul. Laisse-lui seulement le temps.

— J'étais loin de me douter à quel point je l'avais blessé. Quelle égoïste j'ai été…

— Ne te poignarde pas : tu as fait ce qui te semblait le mieux, compte tenu des circonstances. Tu ne pouvais pas savoir que ton amie te mentait. Désormais, tu n'hésiteras plus jamais à confier à ton mari ce que tu penses et ce que tu ressens.

— Tu parles comme si nous avions un avenir, Grady et moi, mais tu l'as entendu ! Il me déteste pour ce que j'ai fait… Excuse-moi, maman, j'ai besoin d'être un peu seule. Je peux prendre ta voiture ?

— Bien sûr ! Les clés sont accrochées dans la cuisine. Conduis prudemment.

Le soleil n'avait pas encore dissipé la brume froide du matin, et Susan ne portait qu'un T-shirt, mais elle ne sentait pas la fraîcheur de l'air. Machinalement, elle roula vers l'océan, se gara, et resta quelques secondes immobile, les mains posées sur le volant. Ses émotions s'étaient engourdies ; elle ne ressentait plus qu'une vague surprise en constatant qu'elle avait retrouvé le chemin de la plage et qu'elle reconnaissait l'endroit où elle jouait au volley avec ses amis, autrefois : c'était là-bas, à près d'un kilomètre…

Elle descendit de voiture, et se mit à marcher, puis à courir. Il y avait très peu de promeneurs sur la grève. Bientôt, elle atteignit l'endroit où elle avait vu son mari pour la première fois. Ce n'était qu'une étendue de sable.

Fatiguée, tout à coup, Susan s'arrêta, puis s'allongea lourdement en appuyant sa tête sur ses bras. Il s'était passé tant de choses, depuis son retour de L'Etoile ! Il lui semblait avoir vécu une existence entière, et elle ne voulait plus qu'une chose : se reposer.

Le bruit des vagues était apaisant. Elle avait dû passer tant d'épreuves, ces derniers jours ! Elle pensait que Grady serait enfin réconforté par le récit de sa mère, et… non, le mal était fait. Même si ses souvenirs revenaient, ça ne suffirait sans doute pas à sauver son mariage.

Quand elle pensait à ce couple tellement amoureux que sa mère évoquait tout à l'heure… C'était affreusement triste de penser que ces jeunes gens n'existaient plus.

Elle se trouvait à l'endroit où tout avait commencé, mais, cette fois, elle était seule, sans avenir et sans souvenirs.

Si elle était revenue à la vie, ce n'était sans doute pas pour reprendre son existence passée. Ce miracle lui avait peut-être été accordé uniquement pour qu'elle pût prendre soin de Brett, ou confondre son assassin.

Aujourd'hui, son mari avait reçu une information qui le libérerait d'une terrible incertitude. Sachant qu'elle n'avait jamais cessé de l'aimer, il pourrait recoller les morceaux, reprendre le fil de sa vie… peut-être trouver le bonheur avec quelqu'un d'autre ? Si tel était le cas, elle devrait, elle aussi, prendre un nouveau départ...

Puisque Brett était à Las Vegas, elle y resterait. Mais qu'y ferait-elle ? Impossible de reprendre un emploi de comptable, à moins de recommencer ses études — et cette idée la décourageait un peu.

Si elle ne pouvait pas être la femme de Grady, elle ne voyait qu'un emploi qui eût un sens pour elle : travailler dans un lieu comme le Foyer des Femmes, tendre la main à d'autres comme on lui avait tendu la main.

En pensant à Maureen, Tina et Paquita, elle sentit de nouveau les larmes lui monter aux yeux.

Le fait d'aider les autres redonnerait peut-être un sens à sa vie. Mais cela lui permettrait-il de subsister ?

Le Père Salazar saurait peut-être répondre à cette question. Quand il n'y aurait plus aucun danger, quand elle pourrait circuler en toute liberté, elle irait le voir. Elle s'était déjà tournée vers lui quand elle se trouvait dans la détresse, et ses conseils l'avaient aidée à tenir. Pourquoi ne pas renouveler l'expérience ?

Cette idée la réconforta un peu, et elle trouva la force de se redresser. Son corps était glacé, engourdi par ce long séjour sur le sable froid. Le soleil ne perçait toujours pas, mais elle le devinait au-dessus de sa tête, presque à la verticale.

Sa mère s'inquiétait peut-être : elle devait rentrer.

Elle ramassa son sac, et revint lentement vers sa voiture, en se penchant pour épousseter le sable de ses vêtements.

Quand elle releva la tête, elle vit Grady qui marchait vers elle.

Avec ses cheveux noirs ébouriffés par le vent du large, il semblait très sombre, presque inquiétant.

« Comme il est beau, pensa-t-elle, et quelle chance j'ai eue, pendant toutes ces années ! »

— Je t'attendais, dit-il d'une voix sourde.

— Je suis désolée. J'aurais dû revenir plus vite.

— Susan…

— Ne t'inquiète pas, Grady, tu n'es pas obligé de m'expliquer. Nous avons fait de notre mieux tous les deux, mais ça n'a pas suffi. Je me suis demandé, tout à l'heure, si le destin n'avait pas autre chose en vue en me laissant sur cette terre. Une autre mission. Autre chose que ma vie d'avant… Je peux accepter cette idée.

Dans le regard de son mari, elle vit apparaître une expression nouvelle, une sorte de désolation glacée.

— De quoi parles-tu ? demanda-t-il d'une voix lointaine.

— De divorce. C'est le premier pas pour nous sortir d'une situation que nous ne contrôlons plus. Même si tous mes souvenirs reviennent, notre monde a changé, Grady. Nous ne sommes plus les mêmes.

Comme il ne répondait pas, elle enchaîna :

— Tant que Stevens est en liberté, personne n'a besoin de le savoir. Ensuite, je trouverai un appartement. Pas trop loin de Brett, bien sûr. Je n'ai pas renoncé à être sa mère.

Grady serra les lèvres et les poings.

— Mais tu as renoncé à être ma femme ?

— Je ne suis pas ta femme. J'ai essayé de te le dire, l'autre soir, mais il a fallu que tu me fasses l'amour pour me croire. Que tu fasses l'amour à une inconnue. C'était… merveilleux, chuchota-t-elle, des larmes dans la voix, mais ce n'était rien de plus. La Susan que tu connaissais est bien morte.

— Ne dis pas ça !

Il avait les larmes aux yeux, lui aussi.

— Je dois rentrer, Grady. Maman m'attend. Je dormirai chez elle jusqu'à notre retour à Las Vegas.

Elle ne garda aucun souvenir du trajet du retour.

— M'man ?

— Je suis dans la chambre !

Elle entendit une galopade dans le couloir, et Brett fit irruption dans la pièce.

— Tu as dormi toute la journée ! Tatie Bev' a préparé le dîner ; papa pensait que tu viendrais plus tôt.

— Ta mamie et moi, nous avons parlé toute la nuit. Où est-elle ?

— En train de donner un coup de main à Bev'.

— C'est vrai ? Elle aurait dû me réveiller ! Bon, je me prépare en vitesse.

Elle rejeta les couvertures, et enfila une robe de chambre.

— Je peux te demander quelque chose, maman ?

— A ton avis ?

— Il faudrait que tu parles à papa.

Un élancement douloureux la transperça. C'était ce qu'elle venait de faire…

Elle passa dans la salle de bains. Sur le pas de la porte, Brett attendait toujours sa réponse.

— A propos de quoi ? lui demanda-t-elle, la bouche pleine de pâte dentifrice.

— Je voudrais un chien.

Oh, Brett…

Heureusement, elle avait un prétexte pour ne pas répondre tout de suite. Elle prit son temps pour se rincer la bouche, et dit enfin :

— Je sais bien que la petite chienne de Todd est adorable, mais…

— J'ai demandé à papa, tout à l'heure : il a répondu que c'était hors de question pour l'instant.

Grady était donc d'accord avec elle. Il avait vite compris que le divorce était la seule solution, le seul moyen de mettre un terme à leur souffrance.

Elle termina sa toilette, tout en continuant à dialoguer avec Brett à travers la porte.

— Laisse à ton père le temps de boucler cette affaire et, ensuite, je lui parlerai. Je crois que ce serait une très bonne chose pour toi d'avoir un chien.

Si elle pouvait trouver un appartement ou une maison où l'on accepte les animaux, elle en adopterait un. Ce serait le chien de Brett…

— Tu es la meilleure. Merci, m'man.

— Voilà qui fait plaisir à entendre, répliqua-t-elle avec un sourire. Tu sais quel genre de chien tu veux ?

— J'aime les labradors, mais Ken a un colley qui est super sympa.

— Un colley ? On n'en voit plus beaucoup.

— Elle s'appelle Mitzie. Elle est intelligente !

— Bien, il faudra se renseigner. Ecoute, on n'en parle pas pour le moment, d'accord ?

— D'accord.

— Bon, je suis prête. Tu es venu à pied ?

— Non, Karin m'a prêté son vélo.

— On fait la course ? Toi à vélo, moi dans la voiture de mamie.

Il éclata de rire.

— Ça marche ! Le perdant offre au gagnant un banana split à la marina, après le dîner.

— Ça fait une éternité que je n'en ai pas mangé ! C'est d'accord. Prêt ? Partez !

Il s'engouffra dans le couloir, sauta en voltige sur le petit vélo de sa cousine, et réussit à battre sa mère de vitesse.

En entrant dans le living de Todd, ils riaient tous les deux aux éclats. La famille au grand complet les attendait.

— Tu as mis le temps, Tatie ! lança Lizzy. On meurt de faim !

— Je suis désolée, ma douce. Quand je retrouve l'océan, ça me donne sommeil pendant deux ou trois jours.

Evitant le regard de Grady, elle serra sa nièce dans ses bras.

— A table, tout le monde ! cria Beverly.

Susan se hâta de passer dans la salle à manger et de se caser entre les deux filles. Bev', une très jolie brune, avait préparé des boulettes de viande à la suédoise et des pâtes à la crème fraîche : le repas préféré de Susan.

— Tout est parfait, dit-elle avec un grand sourire.

— Ce qui est parfait, c'est de te voir ici, répliqua Bev' avec émotion. Tu n'as aucune idée…

— En parlant d'idées, intervint gaiement Muriel, je crois que le moment est venu pour Brett d'expliquer son plan à tout le monde.

Brett la regarda, surpris.

— Tu veux parler de la fête ?

— Non, ne dis rien : laisse-moi deviner ! supplia Todd. C'est une surprise-partie, et ta mère doit jaillir du gâteau ?

— Dis donc, tonton, elle est géniale, ton idée !

Tout le monde éclata de rire… sauf Grady. Susan, elle, continua à manger en s'efforçant de rester neutre.

— En fait, reprit le garçon, j'ai pensé qu'on pourrait organiser une fête pour dire merci à tous ceux qui ont été gentils avec nous après la mort de maman. Comme ça, personne ne se douterait de rien, et surtout pas M. Stevens. Quand tout le monde sera là, papa leur dira qu'il a une surprise, et maman se montrera.

Le sourire de Todd s'effaça.

— Ça, ça vaudra le coup d'œil.

— Oui ! Il faut que vous veniez tous.

— Vous prévoyez ça pour quand ?

— Je pensais à mercredi prochain, dit Susan. Il nous faut quelques jours pour tout préparer. Je peux m'occuper des invitations dès demain, et les envoyer par express à Matt Ross, au commissariat. Si c'est lui qui les poste, les enveloppes porteront le cachet de Las Vegas. Il me faudra un annuaire pour les adresses…

— Ils en ont un à la bibliothèque municipale, dit Muriel.

— Grady n'a qu'à contacter un traiteur dès demain matin. Il y aura pas mal de monde : j'aimerais inviter les amis que j'ai rencontrés pendant que j'étais loin de vous.

Todd hocha la tête.

— Nous aussi, on veut les rencontrer. C'est une idée superbe, Brett.

— Merci !

— Grady, ça va ? demanda tout à coup Bev' avec inquiétude.

Susan fut la seule à ne pas se tourner vers lui. Au contraire, elle baissa la tête pour ne pas voir son visage.

— Oui, répondit-il. Je pensais juste au plaisir que ce serait de mettre les menottes à Jim à la fin de la fête.

— C'est comme ça que ça va se passer, papa ?

225

— Le commissaire sera là, avec la plupart de mes collègues. Ce sera le moment idéal. Dès que Ella et lui feront mine de s'en aller, je les prendrai à part.

— Et s'ils ne viennent pas ?

— Tu as raison, Lizzy, c'est toujours possible. Si, pour un motif quelconque, ils ne se montrent pas, nous irons les cueillir chez eux après la fête.

— Ne t'en fais pas : il viendra, marmonna Brett. Il adore montrer aux autres qu'il est riche et qu'il a réussi.

Beverly croisa le regard de Susan.

— Mais… ce sera terrible pour Ella, murmura-t-elle.

Une fois de plus, ce fut Brett qui répondit :

— Si ça se trouve, elle l'a aidé !

— C'est pour ça qu'on n'invite que des adultes, expliqua vivement Susan. Je ne veux pas que ses enfants assistent à ça.

Sa belle-sœur hocha la tête avec un petit soupir.

— Alors… quelqu'un veut du dessert ?

— Maman me doit un banana split !

Instantanément, les filles déclarèrent qu'elles en voulaient un aussi, et proposèrent que tout le monde descende à la marina. Beverly céda de bonne grâce.

— On mangera mon gâteau au chocolat demain !

— Si on descend au port, je n'ai qu'à acheter mes cartes d'invitation tout de suite et me mettre au travail dès ce soir. J'irai chez maman pour ne pas vous déranger.

Du coin de l'œil, elle vit Bev' et Todd échanger un regard troublé.

— Ça marche ! déclara son frère en se levant de table. Tout le monde prend un blouson, et on y va.

Bev' se leva à son tour, et se mit à débarrasser la table.

— Toi et Grady, vous n'avez qu'à emmener les gosses dans notre voiture. Susan et moi, on vous rejoindra avec maman dès qu'on aura terminé ici.

226

— Vous avez entendu ça, mes frères ? On vient de se faire dispenser de vaisselle ! s'écria Todd. Fuyez tous avant que les femmes ne changent d'avis.

Spontanément, Susan sauta sur ses pieds, et courut se jeter dans les bras de son frère.

— Tu m'as manqué, Todd !

— Tu m'as manqué, Susie.

Dès que son père rangea leur voiture dans le garage, ce dimanche soir, Brett jaillit de son siège pour ouvrir la portière à sa mère. Elle se cachait à l'arrière, depuis dix minutes.

Puis le gamin saisit l'une des valises, fila dans la maison, posa son fardeau en bas de l'escalier, et passa dans le salon, où Mme Harmon avait l'habitude de déposer leur courrier. Oui, les lunettes de soleil commandées à Disney World étaient bien là ! Saisissant le paquet, il monta dans sa chambre.

Mike devait être de retour du Mexique, et Brett avait hâte de savoir si ses parents avaient bien reçu leur invitation. Il écouta d'abord les messages. Trois de ses amis avaient déjà téléphoné — y compris Mike. Sans hésitation, il le rappela.

— Stevens, à l'appareil.

Brett blêmit. Quelle bourde ! Le père de Mike répondait souvent au téléphone : il aurait dû se méfier ! Maintenant, se dit-il en serrant les dents, il s'agissait de bien jouer son rôle.

— Bonsoir, monsieur Stevens, c'est Brett. Mike est là ?

— Oui, et il meurt d'envie d'avoir de tes nouvelles !

— C'est pareil pour moi.

— Alors, tes super-vacances ?

— C'était bien.

Il ne donna aucune précision. Son père lui avait bien recommandé d'en dire le moins possible.

— Pas mieux que ça ?

— La plongée, c'était extra, mais Disneyland, c'était encore mieux. Et vous, vous vous êtes bien amusés, au Mexique ?

Grady entra dans la chambre et s'immobilisa en le voyant au téléphone. Un peu affolé, il lui fit signe d'approcher, et enfonça la touche du haut-parleur.

— On a pêché un poisson épieu ! Tu le verras quand il sera empaillé. Il est incroyable.

Quand Grady reconnut la voix au bout du fil, son visage se crispa.

Réprimant un mouvement nerveux, Brett demanda :

— Mike vous a aidé à l'attraper ?

— Il m'a fallu mes deux garçons pour m'aider, sinon je n'y serais pas arrivé.

— Ça devait être bien.

— Ella me dit que nous sommes invités à une fête chez vous, mercredi soir.

— Vous viendrez ? demanda Brett en retenant son souffle.

— A ton avis ? Je t'avais bien dit que ton père sortirait de sa tanière, un de ces jours !

Le garçon leva les sourcils en regardant son père.

— Papa dit qu'on doit beaucoup à certaines personnes…

« Et toi, tu vas avoir ce que tu mérites ! », ajouta-t-il pour lui-même.

— Comment est-ce qu'il a réussi à organiser tout ça, avec vos vacances ?

— Eh bien, il a appelé un traiteur, et puis on a Mme Harmon. Oh, vous savez quoi ? s'écria-t-il en décidant de prendre des risques. Elle dit qu'on a failli nous cambrioler pendant qu'on était partis.

Grady fronça les sourcils et secoua la tête. Tremblant d'excitation, le combiné pressé contre son oreille, Brett écouta très attentivement, et perçut l'hésitation de M. Stevens avant qu'il ne demandât :

— Qu'est-ce qui s'est passé ?

— Une voisine lui a téléphoné parce qu'elle avait vu deux types habillés comme des Témoins de Jéhovah sonner à notre porte de derrière, et puis se sauver. C'était louche, alors elle a appelé la police. Les collègues de papa ont surveillé la maison, et les types sont carrément revenus !

— Ils se sont fait prendre, alors ? Heureusement ! Vous avez su ce qu'ils voulaient ?

Il devenait de plus en plus dur de faire semblant, et Brett regrettait, maintenant, de s'être lancé. Ce n'était pas un jeu : ce type était fou à lier ! Cette fois, il hésita avant de répondre :

— Non. Enfin, on suppose qu'ils cherchaient à nous voler les trucs habituels : des objets de valeur, des appareils.

— Sûrement, oui.

Sa voix devenait difficile à contrôler ; il était temps d'en finir.

— Oui, papa était embêté, parce que Mme Harmon a eu peur. Je peux parler à Mike ?

— Il est près de moi ; je te le passe.

D'un geste vif, Brett couvrit le combiné de sa main, et souffla à son père.

— Tu as entendu ? Il avait l'air drôlement embêté !

— Brett ! Tu es revenu quand ? cria la voix de Mike à son oreille.

— Il y a dix minutes.

— Pas trop tôt ! C'étaient les vacances les plus nulles de toute ma vie.

— Moi, c'était cool. Je t'ai rapporté un cadeau de Disney World. Tu vas peut-être trouver ça bête, mais je ne savais pas quoi prendre.

— Tu veux que je vienne ?

— J'aimerais bien, mais papa veut que je me couche de bonne heure. Ecoute, dès que je sors du collège, demain, je viens chez toi !

Grady tendit l'oreille. Susan venait de quitter sa chambre, les bras chargés de linge à laver. Depuis la bombe lâchée sur la plage, elle ne lui avait plus donné aucune occasion de lui parler en privé.

La veille, par contre, Todd lui avait demandé de l'accompagner au supermarché : juste un prétexte pour lui permettre de parler à un ami s'il en avait envie.

Todd avait le génie pour susciter les confidences. En quelques minutes, Grady craquait et lui avouait tout.

— Je l'ai incendiée pour une action dont elle ne se souvient même pas ! Elle a toutes les raisons de m'en vouloir, conclut-il, effondré.

— Elle ne t'en veut pas. Je connais ma sœur : elle est amoureuse de l'homme que tu es aujourd'hui, mais elle sait que tu aimes encore celle qu'elle était avant. A mon avis, elle cherche surtout à te laisser toute ta liberté. Un divorce réglerait ce problème.

— C'est hors de question.

— Bien sûr ! Arrêtez tous les deux de vouloir à tout prix brûler les étapes : laissez-vous le temps ! Un de ces jours, elle va se souvenir de tout. Tu sais que Lizzy fait une psychothérapie ? Quand tu m'as parlé de l'amnésie de Susie, j'ai téléphoné à cette thérapeute pour lui poser quelques questions. A son avis, c'est une amnésie hystérique. Ça veut dire qu'il n'y a aucun problème physiologique : quand elle sera prête, quand elle se sentira suffisamment en confiance, elle se souviendra. En attendant, il faut rester soft.

Les médecins disaient tous la même chose, chacun dans son jargon. Après ce que Muriel venait de lui révéler sur le mensonge de Jennifer, Grady ne pouvait plus douter de l'amour de l'ancienne Susan. Grâce aux révélations de sa belle-mère et à l'amitié de Todd, il allait éviter de sombrer dans la dépression, car Susan l'avait complètement déstabilisé en lui parlant de divorce.

La grande erreur, au fond, était de lui avoir fait l'amour trop tôt. Il comprenait, maintenant, qu'il devait se détendre, prendre son temps, laisser Susan se frayer un chemin jusqu'à lui. Ce soir, une fois que Brett serait endormi, il trouverait un moyen de se faire entendre.

— Papa ?

— Je suis là ; je défais les bagages.

Son fils entra dans la chambre, l'air inquiet.

— Ça allait, ce que j'ai dit ?

Grady referma le placard, et se tourna vers lui avec un sourire.

— Tu n'aurais pas dû téléphoner chez eux sans me prévenir. Tu t'en es bien rendu compte ? Par contre, demain matin, tu rappelles Mike et tu lui demandes de venir ici. Il n'est pas question que tu remettes les pieds chez eux tant que Stevens sera en liberté.

Todd baissa la tête d'un air buté. Grady attendit quelques secondes, puis ajouta avec un petit rire :

— A part ça, tu as été parfait. Il ne se doute de rien : mercredi, le ciel va lui tomber sur la tête.

Rassuré, Todd se laissa choir sur le lit.

— Mike fait la tête parce qu'il n'est pas invité.

— Malheureusement, il saura bientôt pourquoi.

— Il ne voudra sûrement plus être mon ami.

— Il ne faut pas dire ça. On trouvera une solution, dit Susan.

Surpris, Grady leva la tête. Elle passa devant lui, et alla serrer Brett dans ses bras.

— Le moment venu, on les soutiendra, Ella et lui, comme ils vous ont soutenus quand je suis morte.

Le visage anxieux de Brett se détendit ; il alla même jusqu'à sourire en s'écriant :

— Ça fait bizarre quand tu parles d'être morte !

— La situation tout entière est bizarre.

— Tu devrais écrire un livre pour aider d'autres gens qui ont perdu la mémoire. Quand on a « fait » la Seconde Guerre mondiale, en cours d'Histoire, on a parlé des soldats anglais amnésiques. La prof' a dit que personne ne savait comment les soigner. C'était terrible pour eux.

— Tu crois que je pourrais ?

Grady perçut une note d'incrédulité dans la voix de sa femme. Il reconnut l'hésitation de l'ancienne Susan, qui doutait toujours d'elle.

— Après la façon dont tu as résolu ta propre affaire, tu te poses encore la question ? demanda-t-il.

Interdite, elle croisa son regard, et il conclut avec tendresse :

— Il n'y a rien que tu ne puisses faire. Tu l'as déjà prouvé.

Susan rougit légèrement sous l'effet de ce compliment, et Grady fut submergé par une bouffée d'émotion.

Cette nouvelle version de Susan savait donc aussi rougir ? Pour la première fois depuis le retour de sa femme, il sentit tous ses instincts protecteurs se réveiller.

— Au lit, fils, marmonna-t-il. Tu dois te lever à 6 h 30, demain matin !

— Je sais. Ça va être dur d'aller au collège.

— Pourquoi, mon grand ? lui demanda Susan en l'accompagnant jusqu'à sa chambre.

— Parce que je vais avoir peur de ne pas te retrouver en rentrant.

— Oh, Brett…

Grady comprenait si bien ce sentiment. Il avait failli perdre la tête en retournant chez sa belle-mère pour s'excuser de sa conduite, et en découvrant que Susan était sortie depuis plusieurs heures. Heureusement, Muriel avait eu la bonne idée de la chercher sur le lieu de leur première rencontre, dix-sept ans auparavant.

Bénie soit son intuition de mère car, après la façon dont il venait de blesser Susan, il se sentait trop coupable pour réfléchir de façon lucide.

— Bonne nuit, Brett ! lança-t-il.

Puis il quitta la pièce pendant qu'elle achevait de rassurer leur fils.

Cinq minutes plus tard, elle sortait elle-même de la chambre, passait devant lui avec un bref sourire, et se dirigeait vers l'escalier. Il la suivit en demandant à voix basse, pour ne pas déranger leur fils :

— Tu as encore quelque chose à faire ?

— Il faut appeler le traiteur, demain matin, pour convenir du matériel à apporter : les plats, les verres… Je vais mettre un certain temps à faire l'inventaire de ce que nous avons ici.

Pas question de se laisser repousser par de vagues prétextes ! décida-t-il.

— Je vais t'aider.

— Tout à l'heure, tu disais que tu étais fatigué, que tu voulais te coucher…

— Pas sans toi.

— J'ai l'intention de dormir dans la chambre d'amis.

— Je t'y rejoindrai. Tu ne m'as pas laissé le temps de te dire à quel point j'étais désolé d'avoir réagi comme je l'ai fait, chez ta mère. Je veux t'expliquer ce que je ressens, et te demander pardon. Ça risque de prendre un certain temps.

Elle le regarda bien en face.

— Il n'y a pas de problème, Grady. Tu penses que je ne sais pas ce que tu endures, mais tu te trompes. Il n'y a rien à pardonner. Je me sentirai plus à l'aise si nous dormons chacun de notre côté.

— Après le calvaire que nous venons de traverser, tu es prête à traumatiser ton mari et ton fils encore une fois ?

Elle eut une expression touchante de détresse.

— Qu'est-ce que tu veux dire ?

— Brett est encore si fragile qu'il redoute de quitter la maison, de peur que tu ne disparaisses pendant son absence. S'il devine que nous avons des problèmes, ce sera un vrai déchirement pour lui. Quant à moi, j'ai besoin de dormir près de toi, chaque nuit de ma vie.

Il respira à fond, et se lança :

— En Californie, je n'ai pas fermé l'œil. J'éprouvais la même peur que Brett. Je me disais : « Et si elle n'est plus là demain matin ? ». J'en avais des sueurs froides. Ces derniers jours, j'ai appris quelque chose de vital : que tu recouvres ou non la mémoire, tu es la seule femme que je veux avoir près de moi. Ne me renvoie pas en enfer en prenant tes distances : je ne pourrais pas le supporter. Ecoute, voilà ce que je te propose : pour l'instant, on met notre sexualité de côté. Si tu ne veux pas que je te touche, je peux le comprendre. Mais j'ai besoin de te sentir là, juste à côté de moi… Viens te coucher, je t'en prie. Je t'aiderai à faire tout le reste demain matin.

— Tu ne travailles pas, demain ? demanda-t-elle, surprise.

Il fronça les sourcils.

— Non. Qu'est-ce qui t'a fait croire ça ?

— Je pensais… comme les vacances de Brett sont terminées, je supposais que les tiennes l'étaient aussi.

— Oh, non, dit-il en secouant la tête. J'ai encore sept semaines devant moi. D'ailleurs, quand Jim sera derrière les barreaux, on pourrait oublier l'école et louer un bungalow sur la plage à Maui, jusqu'à la fin du mois de mai. C'est un voyage qu'on comptait faire quand Brett aurait l'âge d'apprécier Hawaii.

— Mais il va manquer des tas de cours !

— Si c'est nécessaire, il suivra un cours de rattrapage, l'été prochain. Le plus important, pour l'instant, c'est nous trois.

Elle lui lança un regard troublé.

— C'est le genre de vacances que prennent les amoureux…

— Je ne pense pas à ça pour l'instant. Après ce qui s'est passé en Californie, j'ai compris à quel point la vie est précieuse, et je ne veux plus en gaspiller une seconde. Acceptons seulement cette deuxième chance qui nous est donnée. Six semaines sans pression, sans soucis… Ça va nous remettre à neuf, et Brett redeviendra le gamin insouciant et farceur qu'il était avant.

Elle inclina la tête.

— Je ne veux pas le bouleverser. D'accord, je vais dormir avec toi. Pour le voyage, je ne sais pas encore.

Il poussa un long soupir silencieux. C'était déjà un progrès. Une fois Jim Stevens derrière les barreaux, il trouverait un moyen de la convaincre pour Hawaii. Avec un peu de chance, le face-à-face avec l'homme qui avait voulu la tuer ferait tomber la dernière barrière qui l'empêchait de retrouver certains souvenirs. Mais, dans le cas contraire, il ne paniquerait pas.

— Très bien, dit-il. Viens te coucher. J'ai eu quelques idées pour notre fête.

Lentement, elle revint vers lui.

— Quelles idées ?

— La météo est optimiste : on pourrait installer les tables dans le jardin. Et je crois que je ne vais pas prévenir les invités qu'il y aura une surprise. C'est pour ça qu'il faut décider à l'avance où on va placer Jim et Ella. Je veux que tu saches exactement où regarder en sortant de la maison. Il faut que tu voies par toi-même sa réaction.

— Dis donc, m'man !

Elle tourna sur elle-même pour faire gonfler sa robe.

— Je te plais ?

— C'est la préférée de papa.

Grady l'avait choisie pour elle avant de descendre, car elle était incapable de se concentrer sur le choix de sa tenue. Lui-même venait d'enfiler le costume qu'ils avaient acheté pour l'occasion : noir avec une chemise et une cravate gris perle.

Elle le trouvait irrésistible.

Restée seule, elle avait enfilé la robe noire et les talons aiguille en se demandant, le cœur serré, s'il la regarderait jamais avec admiration. Depuis leur retour, il la traitait comme si tout avait été normal entre eux. Le soir, il posait un baiser chaste sur sa joue, puis se retournait pour dormir. Pas de pression, pas de moments difficiles. Mais elle savait que cela ne pouvait pas durer éternellement.

Heureusement, le grand soir était enfin arrivé. Quand tout serait terminé, elle s'attaquerait à l'étape suivante : trouver un emploi, un appartement assez proche de la maison pour que Brett pût venir la voir à vélo. Brett qui la regardait avec tant d'admiration...

— Tu es plutôt craquant toi-même, Brett.

— Merci !

— Où est la famille ?

— En bas, en train de faire un sort au punch. Mme Harmon s'occupe de tout.

— Il y a déjà des invités ?

— Quelques voisins. Le commissaire Willis est arrivé il y a un petit moment ; il place ses hommes.

— Et ton père ?

— Il accueille tout le monde à la porte.

Le regard du garçon se fit plus aigu.

— Tu as le trac ? demanda-t-il.

— Oui et non…

— Il ne faut pas. Papa et moi, on est là pour te protéger.

— Je sais. Je t'aime tellement.

— Moi aussi, je t'aime, m'man. Tu te rends compte ? La prochaine fois que je te verrai, tout le monde saura que tu es vivante, et que notre famille est reconstituée.

« Oh, Brett, mon cœur…, pensa-t-elle. Si seulement c'était aussi simple ! »

Elle l'embrassa, puis le poussa gentiment vers la porte.

— Tu ferais bien de descendre aider ton père.

— J'y vais.

Elle le regarda sortir à grands pas, puis passa dans la salle de bains pour se coiffer.

Dix minutes plus tard, elle se rendait dans la chambre de Brett, et se postait derrière la fenêtre, comme prévu. De là, elle attendrait le signal qui viendrait après le dîner.

Pendant quarante-cinq minutes, elle contempla de sa place des gens qui, pour la plupart, lui étaient inconnus. Ils allaient et venaient dans le jardin, se groupaient autour de la longue table faisant office de bar et de buffet.

Puis, petit à petit, ils s'installèrent autour des petites tables décorées, où un carton à chaque place indiquait le nom d'un invité.

Soixante-dix personnes assistaient à la fête. La nuit était douce et étoilée. Grady avait passé ces quelques jours à s'occuper du jardin, et le décor était exquis.

Susan avait beau réfléchir, elle ne voyait pas ce qui pourrait mal tourner. Les gens qu'elle avait elle-même invités et qui la connaissaient sous le nom de Martha Walters étaient prévenus que sa présence à la fête était un secret. Si on les interrogeait, ils devaient se présenter comme de vieux amis de Susan, sans rien ajouter.

Tout à coup, elle vit Grady fendre la foule pour rejoindre la table où l'on servait les côtes de bœuf. Le signal !

Le cœur battant, elle quitta la chambre, marcha vers l'escalier.

S'assurant que personne n'était en vue, elle descendit en hâte vers la cuisine. Le personnel envoyé par le traiteur la regarda passer sans surprise, la prenant sans doute pour une invitée égarée.

Discrètement, elle se glissa vers la porte de derrière. A quelques mètres d'elle, Grady achevait son discours.

— Avant de partir pour la Floride, Brett et moi avons décidé qu'il était temps de vous remercier tous en donnant une fête. Nous espérons que vous passerez une bonne soirée.

C'était le moment. Elle ouvrit la porte sans bruit, et marcha vers Grady.

Le brouhaha saluant la fin du petit discours s'éteignit pour laisser la place à un silence de mort. Les invités la dévisageaient, les yeux ronds ; certains se levaient sur son passage.

Quant à elle, elle ne voyait que l'homme aux cheveux roux, à la mâchoire carrée, à l'œil terne, qui était assis au milieu des convives. Jim Stevens. Contrairement aux autres qui chuchotaient sur son passage ou criaient carrément leur joie, lui demeurait parfaitement silencieux. Susan eut même la satisfaction de voir le sang se retirer de son visage. Si elle avait gardé le moindre souvenir de l'amitié qui avait existé entre leurs deux familles, aurait-elle pu le regarder ainsi, droit dans les yeux ?

La femme qui était assise près de lui restait immobile, mais des larmes de joie ruisselaient sur ses joues. Susan eut alors la certitude qu'Ella Stevens n'avait joué aucun rôle dans les forfaits de son mari. Quelle détresse elle allait ressentir quand elle apprendrait la vérité !

Grady dut sentir le trouble de sa femme, car il vint glisser le bras autour de sa taille, et l'attira contre lui.

— Au cas où vous vous poseriez la question, dit-il, cette femme n'est pas un clone ni un sosie. C'est bien Susan.

Le silence retomba. Chacun attendait qu'il explique l'inexplicable.

— Ma femme est revenue d'entre les morts. Comment ? Je pense que je vais lui laisser la parole : c'est elle qui va vous le dire.

239

14.

Susan se ressaisit, et se mit à parler, à raconter son épopée, tout en regardant tour à tour ceux qui y avaient joué un rôle, et en échangeant avec ses nouveaux amis des sourires émus. Maureen Benn, Colleen Wright... tous les amis « d'avant » écoutaient, abasourdis. Des murmures d'incrédulité ou d'effroi s'élevaient autour d'elle. Cette tension s'effaça, pourtant, dans un grand éclat de rire, quand Susan expliqua comment elle avait choisi son nom. Puis elle décrivit sa vie avec Tina et Paquita, et les deux jeunes femmes se redressèrent, rayonnantes.

— C'est grâce à elles que j'ai tenu le coup. Par l'intermédiaire de Paquita, j'ai rencontré le Père Salazar, à l'église catholique.

Tout en parlant, elle s'était tournée vers le prêtre, installé près de Colleen. Il hocha la tête, et elle lui dit :

— Il paraît que je suis protestante, mon père.

Il eut un petit rire, repris par le reste de l'assistance.

— Ce prêtre merveilleux m'a encouragée à avoir foi en l'avenir. Il ne cessait de me répéter qu'un jour, j'aurais la réponse à toutes mes questions. Vous voyez, mon père, tout s'est réalisé. Un soir que je travaillais à l'hôtel, j'ai croisé dans l'escalier un adolescent : mon fils, Brett, qui venait de dîner là-bas avec Mike Stevens et son père.

Toutes les têtes se tournèrent alors vers le garçon. Le moment était venu de raconter leurs retrouvailles. Pour la première fois, la voix de Susan se brisa, et elle dut lutter pour la contrôler.

— Il a dit : « C'est ma mère ! » Brett m'avait reconnue, même en brune, même avec les cheveux courts.

Autour d'elle, tout le monde avait les larmes aux yeux — sauf Stevens. Il se tenait assis, très droit, et il la regardait fixement, sans un geste.

— On m'a tendu un album de photos. C'est là que j'ai compris que le Lieutenant Corbett était mon mari. Il ne le sait pas, mais j'ai failli avoir une crise cardiaque en apprenant que j'étais mariée à un homme aussi séduisant.

Un nouveau rire s'éleva autour d'elle.

— Et voilà… J'ai retrouvé ma famille en Californie, ainsi qu'une partie de mes souvenirs. Une partie seulement. Je vous en prie, ne soyez pas choqués si je ne reconnais pas certains d'entre vous. J'espère de tout mon cœur que ça changera bientôt. C'est Brett qui a eu l'idée de vous réunir aujourd'hui pour vous annoncer mon retour à la vie, et je dois dire que vous formez un tableau… merveilleux.

Grady la serra légèrement contre lui, puis il s'éclaircit la gorge.

— Merci à vous tous, dit-il d'une voix un peu voilée par l'émotion. Merci d'être venus, et merci d'avoir été là pour Brett et moi pendant ces mois si terribles. Vous nous avez tendu la main au moment le plus sombre de notre existence, et nous ne l'oublierons pas.

L'un après l'autre, les invités se levèrent et se mirent à applaudir. Bientôt, on se pressait autour de Susan. Ella Stevens fut la première à l'embrasser.

— Je n'arrive pas à le croire ! dit-elle en se jetant dans ses bras. Tu es vivante ! C'est si bon de te revoir ! Tu m'as tellement manqué ! Quand est-ce que je peux venir te voir ?

Les autres femmes qui lui tendaient les bras en parlant toutes en même temps lui évitèrent d'avoir à trouver une réponse. Quand elle pensait à la catastrophe qui attendait Ella dès qu'elle passerait la porte, tout à l'heure !

— Susan ! J'ai failli faire une attaque en te voyant !

Cette petite brune à la voix presque accusatrice… Susan reconnut Jennifer Ross parce qu'elle avait vu sa photo dans l'un des albums.

— Je t'appelle demain : on ira déjeuner ensemble. On a plein de choses à se dire. Toutes les filles qui espéraient devenir la seconde Mme Corbett vont avoir un choc en apprenant que tu es de retour.

Pendant une heure, Susan passa d'un invité à l'autre, fut embrassée et félicitée sur tous les registres possibles… mais le commentaire de Jennifer ne cessait de résonner à son oreille. Une pique, délibérément blessante, dans un moment pareil ? Comment l'ancienne Susan avait-elle pu choisir cette femme comme amie ?

Quand le groupe se fut dispersé, elle put parler plus longuement avec ses amis les plus récents. Puis elle réussit à prendre le prêtre à part.

— Je peux venir vous voir un de ces jours, mon Père ?

Ses yeux bruns pleins de compassion plongèrent dans les siens.

— Bien sûr. Téléphonez à l'église : la secrétaire organisera quelque chose.

— J'appellerai dès demain.

Il s'éloignait quand quelqu'un la saisit aux épaules.

— Tu as réussi un sacré numéro, ma Susie.

Elle fit volte-face, serra son frère dans ses bras.

— Tu as vu Grady ? demanda-t-elle.

— Il vient de contourner la maison avec les Stevens.

Elle frémit en imaginant la scène qui devait être en train de se jouer, à quelques pas.

— Ella n'est au courant de rien, tu sais ?

— Maintenant, si. Ce sera l'enfer pendant un moment, et puis...

— Maman ?

Elle se retourna vers Brett qui s'approchait d'elle.

— Qu'est-ce qui s'est passé quand tu as regardé Jim ? lui demanda-t-il.

— Il est devenu tout pâle, répondit Susan en lui posant la main sur l'épaule. Il est resté assis là, comme une statue, pendant que tous les autres poussaient des cris de joie.

— Avant, je lui souhaitais de mourir, mais, maintenant, je suis content qu'il soit bien en vie. Pour papa ! Il a tellement attendu ce moment.

Personne mieux que Brett ne pouvait savoir ce qu'avait enduré Grady après l'explosion, mais c'était un peu glaçant de l'entendre parler d'une façon aussi adulte.

— Il faudra beaucoup penser à Ella et ses enfants, murmura Muriel.

— Je comprends, maintenant, pourquoi Grady n'a jamais aimé Jennifer ! s'écria Susan. Même ce soir, elle a encore cherché à me faire de la peine.

— Comment ça ?

Elle répéta leur brève conversation, et ajouta :

— C'est quelqu'un de foncièrement cruel. Je ne sais pas comment j'ai pu être son amie, mais c'est bien fini, maintenant.

— Bravo !

Glissant le bras autour de sa taille, Bev' lui chuchota à l'oreille :

— C'est terminé : vous allez pouvoir recommencer à vivre, Grady et toi.

— Je ne suis toujours pas la femme dont il est tombé amoureux, murmura-t-elle en retour.

— En tout cas, ce que j'ai vu, ça ressemblait à de l'amour. Ecoute, si tu doutes encore, arrange-toi pour le faire craquer de nouveau. Crois-moi, tu as tous les atouts nécessaires.

A part la faculté de se souvenir…

— Susan ?

Elle se retourna, surprise.

— Oui, madame Harmon ?

— Votre mari est au téléphone. Il veut vous parler. Si vous le prenez dans le salon, j'irai raccrocher dans la cuisine.

— Merci, j'arrive tout de suite.

— Je peux venir aussi, m'man ?

— Oui, bien sûr.

— Ne tarde pas trop ! lança Muriel derrière eux. Les invités vont bientôt commencer à s'en aller.

— Oui, m'man ! cria-t-elle sans se retourner.

Elle se précipita dans la maison avec Brett. Le temps d'arriver dans le salon, elle se sentait tremblante de nervosité.

— Grady ? cria-t-elle au téléphone. Brett est ici, avec moi. Tu vas bien ?

— Ça va on ne peut mieux. Jim est inculpé.

— Dieu merci !

Elle sourit à son fils, enfonça le bouton du haut-parleur. Le visage anxieux du garçon se détendit instantanément.

— Comment ça s'est passé ? demanda-t-elle.

— Quand Ella s'est écartée de toi, Jim est venu la rejoindre, et ils sont allés chercher leurs manteaux. Je crois qu'il serait bien parti sans rien dire à personne, mais elle est venue vers moi tout naturellement, pour me dire à quel point elle était heureuse pour nous. J'ai proposé de les raccompagner à leur voiture, et il a commencé à se décomposer. Je les ai entraînés jusqu'au portail et, quand je l'ai ouvert, quatre de nos hommes étaient là, en train de discuter avec le commissaire Willis. Jim a tout compris. Il m'a jeté un de ces regards ! C'était un grand moment pour moi.

Cela, Susan l'imaginait sans peine !

— Tu sais, je suis sûre qu'Ella n'était pas au courant ! s'écria Susan.

— C'est aussi mon avis. J'ai bien remarqué l'expression de son visage, quand elle t'a vue… Au moment où Matt s'est avancé pour procéder à l'arrestation, j'ai essayé de la soutenir. Jim savait ce qui l'attendait : il n'a pas essayé de résister.

— La pauvre ! chuchota Susan.

— C'était un choc total pour Ella. Quand ils ont emmené Jim, je lui ai proposé de la conduire au commissariat principal. Le commissaire est venu avec nous et, en route, il lui a tout expliqué. Elle ne disait rien. D'un seul coup, elle s'est mise à pleurer. Je suis certain qu'elle ne se doutait de rien.

— Qui sera là pour l'aider ?

— Elle est très entourée par sa famille. Sa sœur arrive ; elle va la ramener chez elle. Si j'ai bien compris, ses parents sont en route ; ils comptent annoncer ça à Randy et Mike tous ensemble. Je lui ai dit qu'on ferait tout pour les aider, elle et les garçons, qu'ils pouvaient compter sur notre amitié, mais je ne suis pas sûr qu'elle ait capté mon message. Elle est comme pétrifiée par ce qu'elle vient d'apprendre.

— J'ai de la peine pour elle.

— Moi aussi. Il lui faudra du temps pour pouvoir de nouveau regarder les gens en face. Les autres… et surtout toi.

— Elle ne m'a rien fait, à moi ! Je lui montrerai que ça ne change rien.

Il y eut un court silence, puis elle demanda :

— Quand vas-tu rentrer ?

— Je ne sais pas.

— C'est vrai, tu n'as pas de voiture.

— Matt me déposera.

— J'aimerais venir te chercher.

— Ça prendra peut-être toute la nuit.

Aurait-il dit non à l'ancienne Susan ? Elle ne le pensait pas. Pourtant, elle décida de ne pas discuter.

— Notre fils veut te parler, dit-elle. Je te le passe.

Elle tendit le combiné à Brett, et quitta la pièce. La soirée n'était pas terminée ; il fallait encore circuler parmi les invités, échanger quelques mots avec ceux qui s'en allaient, remercier Mme Harmon, payer le traiteur, commencer le rangement... et mettre sa famille au courant des derniers événements.

Todd devait être de retour en Californie le lendemain, avant midi ; ils se lèveraient donc tôt pour faire la route. Bev' avait hâte de récupérer ses filles, restées avec ses propres parents...

Au prix d'un effort, Susan sortit dans le jardin, le sourire aux lèvres. Tous les visages se tournèrent vers elle, et chacun tint à lui exprimer encore une fois son bonheur de la retrouver.

Quand Matt se gara devant la maison, le lendemain matin, des groupes d'enfants étaient en route pour l'école. La voiture s'était à peine immobilisée que Grady ouvrait déjà sa portière.

— Merci de m'avoir accompagné. Je te revaudrai ça.

— Laisse tomber. On se voit dans six semaines. Amusez-vous bien à Hawaii.

— C'est ce que je compte faire. Prends bien soin de toi, Matt.

Il leva la main tandis que la voiture repartait, puis se hâta vers la porte d'entrée.

C'était fini, enfin ! Ils pouvaient laisser derrière eux cet épisode dramatique. Enfin, il allait se glisser dans le lit de sa femme, la tenir dans ses bras et faire avec elle des projets pour leur voyage… et leur nouvelle vie. Il se sentait rajeuni de dix ans.

Il entra sans bruit, jeta un coup d'œil dans le salon où Brett avait dormi pour laisser sa chambre à Todd et Bev'. Personne. Le gamin était déjà parti pour l'école. Son sourire s'élargit, et il grimpa l'escalier lestement.

La porte de la chambre d'amis était ouverte. La famille de Susan avait déjà pris la route pour la Californie. Il se retrouvait seul avec sa femme ! Enchanté, il entra dans leur chambre sur la pointe des pieds… et s'arrêta, comme s'il venait de se heurter à un mur invisible. La pièce était vide et le lit fait.

Etait-elle dans le jardin ?

Il dévala l'escalier, traversa le living… et trouva la porte de derrière verrouillée.

L'inquiétude le prit à la gorge. Il courut vers la cuisine. Elle était déserte, étincelante, parfaitement rangée… mais il y avait un mot accroché au frigo. Le cœur battant, il le décrocha et lut :

« Cher Grady,

» Si tu rentres le premier, ne t'inquiète pas : Brett et moi, nous avons décidé d'aller voir Ella et Mike avant le début des cours. Plus nous repousserons le moment de le faire, plus ce sera difficile. Ils doivent savoir que nous les aimons toujours, que nous considérons Jim comme un homme malade, et qu'ils n'ont aucune responsabilité dans ce qui s'est passé. Si nous réussissons à faire passer le message, Brett et Mike pourront préserver leur amitié.

» Je ne rentrerai peut-être que cet après-midi. Après avoir déposé Brett à l'école, je compte aller à l'appartement voir Tina et Paquita ; je veux les inviter à prendre un bon petit déjeuner avant qu'elles ne partent travailler. Ensuite, je passerai au Foyer discuter avec Colleen, et je ferai sans doute quelques courses.

» Il y a beaucoup de bonnes choses dans le frigo. Dès que tu auras mangé, tu devrais te coucher et dormir douze heures d'affilée. Ça te fera un bien énorme de décompresser pour de bon.

» Tu étais très impressionnant, hier soir. Jim a dû avoir la frousse de sa vie en comprenant qu'il était démasqué par le grand détective Grady Corbett. Mes sources dans le milieu de la police m'assurent que tes collègues te considèrent comme le meilleur des meilleurs. Brett et moi, nous sommes fiers de toi.

Susan.

Grady lut le mot deux fois avant de froisser le papier dans sa main. Déjà, il la sentait prendre ses distances. Malgré le ton tendre et taquin de son message, il devinait qu'elle n'avait pas changé d'avis pour le divorce.

Son estomac, qui criait famine quelques minutes plus tôt, se verrouilla, et il fut pris de nausée.

Il allait se passer le visage sous l'eau froide quand le téléphone sonna. Susan ? Il se précipita pour décrocher.

— Grady ? Je ne savais pas que tu étais rentré du commissariat...

Jennifer Ross. Jamais il ne pardonnerait à cette garce ce qu'elle avait fait à Susan.

— Je viens d'arriver, marmonna-t-il. Ton mari devrait être à la maison d'un moment à l'autre.

— Je peux parler à Susan ?

Serrant les dents, il répondit :

— Désolé. Elle ne sera pas disponible pendant six semaines au moins. Et, même quand elle sera de retour, ne t'attends pas à un coup de fil de sa part. Ses expériences récentes lui ont appris à se méfier des gens qui font semblant d'être ses amis. Tu lui as délibérément fait croire que nous avions des difficultés financières, et c'est ton mensonge qui a déclenché cette catastrophe. Je n'ai aucune idée de la raison pour laquelle tu as fait ça ni ce que tu espérais obtenir. Je ne sais pas non plus comment tu te supportes ni comment tu arrives à dormir la nuit. Matt mérite mieux que toi, et j'espère qu'un jour, il s'en apercevra.

Il y eut un silence absolu au bout du fil, puis un déclic et la tonalité.

« Parfait », pensa Grady en raccrochant à son tour. « Fin du chapitre ». A partir d'aujourd'hui, la famille en entamait un nouveau : le chapitre qui les réunirait tous les trois.

Il montait l'escalier d'un pas lourd en pensant à la douche qu'il allait prendre quand le téléphone sonna de nouveau. Plutôt que de redescendre, il alla décrocher dans leur chambre.

— Allô ?

— Bonjour, ici la secrétaire du Père Salazar, à l'Eglise Saint Vincent. Mme Susan Corbett a téléphoné, ce matin. Puis-je lui parler, s'il vous plaît ?

Conscient de l'angoisse qui l'assaillait de nouveau, il réfléchit un instant, puis répondit :

— Non, elle est sortie. Je peux prendre un message ?

— Oui : dites-lui que le Père peut la recevoir demain matin à 11 heures. Si ce n'est pas possible pour elle, elle n'a qu'à me rappeler : nous trouverons un autre moment.

— Je transmettrai.

— Merci beaucoup ! Au revoir.

Il laissa retomber le combiné comme s'il lui brûlait la main. Jurant à mi-voix, il arracha sa cravate, et retira les vêtements qu'il portait depuis dix-huit heures. Si elle avait besoin d'un soutien spirituel, Susan avait son pasteur...

Que préparait-elle ? Il réussirait à le savoir...

Il prit sa douche, passa un jean et un T-shirt, et attendit son taxi en buvant du soda pour calmer son estomac rebelle. Quand la voiture arriva, il donna au chauffeur l'adresse de l'appartement que Martha Walters avait partagé avec ses deux amies.

Il allait attendre Susan et, dès qu'elle sortirait, il la kidnapperait.

— Je croyais que ton mari devait dormir, ce matin ! s'écria Tina en sortant de l'immeuble.

Susan, qui la suivait de près, découvrit Grady au volant de la voiture qu'elle venait de garer devant son ancien immeuble. Les deux filles lui lancèrent un sourire amusé, et Paquita déclara :

— Il ne supporte pas de te quitter des yeux. Quelle chance tu as !

Que faisait-il là ? Il devait avoir besoin d'éclaircir un point quelconque de l'enquête. Oh, pourquoi ne la laissait-il pas respirer ? Elle avait besoin de faire le vide, après son entrevue avec la sœur d'Ella.

Troublée, ne sachant comment réagir à sa visite, la jeune femme l'avait accueillie à la porte de la belle demeure des Stevens. Non, Ella ne voulait voir personne, ce matin. Les garçons étaient partis chez leurs grands-parents, assommés par le choc. Le médecin avait prescrit des calmants à Ella ; elle dormait à l'étage, et ne se réveillerait sans doute pas avant le milieu de l'après-midi...

Susan était repartie, le cœur lourd.

La présence de Grady présageait sans doute encore des mauvaises nouvelles, mais lesquelles ? Son attitude ne lui donnait aucune indication : en les voyant, il sourit, posa le journal qu'il lisait, et sortit de la voiture.

— Bonjour, mesdames. Je n'ai aucune intention de m'imposer, mais, comme je suis en vacances, j'ai eu envie de servir de chauffeur à ma femme. Ça ne vous ennuie pas ?

Bien entendu, Tina et Paquita furent enchantées de le revoir, et le supplièrent presque de prendre le petit déjeuner avec

250

elles. Il refusa, expliquant qu'il comptait rattraper son retard de sommeil en les attendant. Qu'elles prennent leur temps : il n'était pas pressé.

Le fait de savoir son mari dans la voiture, à quelques dizaines de mètres, troubla tant Susan qu'elle se sentit incapable de confier ses soucis à ses amies. Comment leur parler du divorce, dans ces conditions ? Elles lui diraient qu'elle avait perdu la tête !

En fin de compte, ce fut un soulagement de les ramener à l'appartement. En les quittant, elle leur promit de les inviter à dîner la semaine suivante.

— Disons plutôt dans deux mois, rectifia Grady. Nous avons besoin de vacances, et j'emmène ma famille à Hawaii. Nous vous appellerons dès notre retour.

Susan ne trouva rien à objecter, et il démarra, puis reprit, sans la consulter, la rocade en sens inverse.

— La secrétaire du Père Salazar a téléphoné, tout à l'heure, annonça-t-il après un long silence.

Elle inclina la tête, vaincue. Elle n'avait pas l'intention de lui parler de ce rendez-vous.

— Il te propose un entretien à 11 heures, demain matin. C'est si vital pour toi de parler à ce prêtre ? Tu ne peux pas attendre notre retour de Hawaii ?

Elle ne réagit pas. Il patienta quelques secondes, puis reprit :

— J'aimerais qu'on parte demain. Brett a besoin de ta présence non-stop pour dépasser ce traumatisme, et, en même temps, il doit pouvoir prendre du recul par rapport à Mike, et décider tranquillement du comportement qu'il convient d'adopter vis-à-vis de lui. J'ai parlé aux parents d'Ella, ce matin, au commissariat : ils vont garder les garçons avec eux pendant quelque temps. Quand Ella aura un peu refait surface, ils les emmèneront en vacances. Nous avons tous besoin de guérir,

Susan. Si nous fixons tout de suite nos dates et notre itinéraire, nous pouvons aller au collège tout à l'heure discuter avec le principal et convenir d'un cours de rattrapage cet été. Qu'est-ce que tu en penses ?

Son raisonnement tenait debout. D'ici au mois de juin, ils seraient tous plus solides sur le plan émotionnel, et elle pourrait leur annoncer qu'elle déménageait. Grady résisterait sans doute, pour commencer, mais, avec le temps, il accepterait l'idée du divorce. Quant à Brett, il finirait par comprendre que ses deux parents seraient toujours là pour lui, même s'ils ne pouvaient plus vivre ensemble.

— Je pense que c'est bien.

Malgré la distance qui les séparait, elle perçut nettement son soulagement.

— Au fil des dernières semaines, ceux d'entre vous qui ont visité Kilauea ont eu la chance de voir des coulées de lave exceptionnelles en surface, au moment où elles dévalaient le *pali*. Elles ont formé un nouvel accès à l'océan qui créera rapidement une nouvelle plage. Mais savez-vous que Kilauea dégage chaque jour dans l'atmosphère mille à deux mille tonnes de dioxyde de soufre ? C'est un gaz toxique, l'un des grands polluants volcaniques, mais les habitants de l'île sont habitués à ses effets. C'est lui qui cause la brume que vous voyez suspendue sur tout un côté de l'île. Cette semaine, avec les vents du sud, Kilauea a émis une quantité de gaz qui rendait, par moments, l'air quasi irrespirable…

De sa voix monotone, le guide poursuivit son interminable discours. Susan avait la nausée, depuis leur atterrissage sur la grande île, trois jours auparavant. Grady avait réservé des chambres à Volcano House, au bord du cratère. Pour Susan, cette occasion unique de voir à l'œuvre le volcan le plus actif du monde se résumait, en fin de compte, à une monumentale envie de vomir à cause des émanations…

Elle n'en avait encore rien dit à Grady, mais il lui tardait de retourner à Maui. Les trois premières semaines de leur voyage avaient été parfaites — mais, maintenant, la perspective de reprendre l'avion pour continuer leur périple d'île en île la décourageait d'avance.

Soudain, elle sentit une sueur froide l'inonder.

— Grady ? chuchota-t-elle. Je crois que je vais vomir.

Il la soutint pendant qu'elle se pliait en deux. A ses oreilles résonnait la voix inquiète de Brett :

— Maman !

Et le timbre grave et rassurant de Grady :

— Ce n'est pas grave. Allez, viens, on ramène maman à l'hôtel.

Plus tard, elle se rappela que son mari l'avait portée dans ses bras, et qu'il ne semblait même pas essoufflé en la déposant sur le lit. Comme il avait sans doute bien appris sa leçon, il ne lui demanda pas si elle venait de retrouver un nouveau souvenir.

Brett alla lui chercher un verre d'eau fraîche, et elle entendit Grady téléphoner à la réception de l'hôtel pour faire venir un médecin.

— Non, c'est inutile, murmura-t-elle. C'est l'air, je crois. Je ne me sens pas bien, depuis quelques jours.

Grady la regarda d'un air sévère.

— Tu aurais dû nous le dire.

— Je pensais que je m'habituerais. Quand je me sentirai un peu mieux, on pourra retourner à Maui ?

— Bien sûr, mais je veux d'abord que tu voies le médecin. Il pourra peut-être te faire donner de l'oxygène, ce qui te permettra de quitter l'hôtel dès aujourd'hui.

Les choses ne se passèrent pas comme ils l'escomptaient. Après un examen superficiel, le médecin déclara que la pollution volcanique ne pouvait causer une telle hausse de tension et un pouls si rapide. Le problème était ailleurs. Lorsque Grady parla de l'amnésie de sa femme, le praticien décida de la faire transporter en ambulance jusqu'à l'hôpital de Hilo, où un neurologue pourrait l'examiner et, au besoin, faire des radios. Susan eut beau protester, personne ne l'écouta.

Moins d'une demi-heure plus tard, on l'installait sur une table d'examen, aux urgences. Une infirmière reprenait sa tension, tandis que son mari et son fils restaient plantés dans un coin de la salle minuscule.

Bientôt, un médecin arriva et leur demanda de sortir pendant qu'il examinait la patiente. Ce second examen prit plus longtemps, et il repartit en ordonnant toute une liste d'analyses et de radios.

Le temps s'était arrêté. Susan ne pouvait que contempler le plafond de la petite salle où on l'avait parquée. Par chance, depuis qu'elle avait vomi, sa nausée incessante avait enfin disparu. Le médecin de l'hôtel pouvait raconter ce qu'il voulait : l'air l'avait bien affectée, et elle se sentait beaucoup mieux, loin du volcan.

Quand Grady vint la rejoindre, elle le lui dit, mais son visage demeura soucieux.

— J'aurais dû t'emmener voir un neurologue avant de t'embarquer dans ce voyage, dit-il. C'est ma faute. J'avais tellement hâte de partir…

La détresse dans ses yeux rappela à Susan la nuit où il avait compris que, même en l'épargnant, l'explosion avait tranché net le fil de leurs vies puisqu'elle ne gardait aucun souvenir de lui. Cette fois encore, elle fut impuissante à le réconforter. Ils venaient de passer des vacances merveilleuses, mais il était temps de revenir à la réalité, de rentrer à Las Vegas et de commencer une nouvelle vie.

Puisque Brett était parti à la recherche d'un distributeur de boissons, c'était peut-être le moment de parler de ce retour.

— Grady, chuchota-t-elle. Dès qu'on me laissera sortir d'ici, je crois que le mieux serait de rentrer au Nevada.

Il posa sur elle un regard terriblement inexpressif.

— C'est ce que tu veux vraiment ?

— Oui. J'ai adoré ce voyage, mais…

— Madame Corbett ?

Le médecin entra en coup de vent.

— Le radiologue ne trouve aucune anomalie dans vos clichés : il ne sera pas nécessaire de consulter un neurologue.

Grady ne sembla même pas soulagé par cette nouvelle ; il conserva son air grave et sévère.

— Pendant que nous attendons les résultats des analyses, je souhaite vous faire faire un test supplémentaire, madame Corbett.

— Et pourquoi ? demanda sèchement Grady.

— Pour ne rien laisser au hasard, répondit le médecin sans se démonter. Ça prendra peu de temps. Si vous voulez bien sortir un instant, monsieur Corbett, j'aimerais parler à votre femme.

Il connaissait déjà son histoire. Que voulait-il savoir de plus ?

— Va donc retrouver Brett, suggéra Susan avec douceur.

Grady hésita, puis quitta la petite pièce sans un mot.

Le médecin s'assit sur un tabouret, près de sa patiente, et lui prit le pouls.

— Vous avez retrouvé des couleurs. La nausée s'atténue ?

— Elle a complètement disparu. J'ai même faim, à présent.

Il scruta son visage quelques instants, puis reprit sa tension. Tout en rangeant l'appareil, il soupira :

— Les nouvelles sont bonnes : votre pouls est normal, votre tension est retombée. Dites-moi, quand avez-vous eu vos règles pour la dernière fois ?

— Je ne sais plus. Il y a six ou sept semaines.

— Vous ne notez pas les dates ?

— Non. Il n'y a aucune raison…

— Vous utilisez une forme de contraception ?

— Mais non ! Je ne peux pas avoir d'enfants, murmura-t-elle, étonnée.

Le médecin haussa les sourcils avec un bref sourire.

— Vous avez pourtant un fils qui vous ressemble beaucoup.

Un peu tristement, elle lui rendit son sourire, et expliqua :

— Après la naissance de Brett, je n'ai plus été enceinte. Quant à ces derniers temps… mon mari et moi n'avons pas fait l'amour, depuis que je suis amnésique. Enfin, si, je me trompe, une fois, il y a un mois…

Ses yeux se remplirent de larmes, et elle balbutia :

— C'était un désastre.

— Je vois. Avez-vous remarqué une douleur aux ovaires quand vous avez fait votre malaise, à Kilauea ? Il y a parfois évanouissement lorsqu'un ovule éclate ; c'est peut-être ce qui vous est arrivé. D'autant plus que vous aviez fait de la marche et que vous étiez sans doute un peu déshydratée.

Elle secoua la tête.

— Non. Je n'ai ressenti aucune douleur. Il me fallait seulement… de l'air pur.

Le médecin se leva, lui tapota le bras.

— Je reviens dans quelques minutes avec des réponses.

— Comment ? Quelles réponses ?

— Nous allons trouver ce qui ne va pas, ou tout au moins écarter certaines options. S'il le faut, je demanderai d'autres analyses, mais je ne pense pas que ce soit nécessaire.

Il se tut un instant, puis ajouta :

— Je vous envoie votre mari. J'ai rarement vu un homme s'inquiéter autant pour sa femme.

— Nous avons traversé l'enfer. Grady souffre parce que je ne me souviens ni de lui ni de notre vie commune. Cette situation est devenue impossible. Nous allons divorcer dès notre retour.

— Je suis désolé de l'entendre.

— Ne soyez pas désolé. C'est le seul moyen pour nous de guérir.

15.

Les distributeurs de boissons se trouvaient à l'autre extrémité de la salle d'attente. Tandis qu'ils buvaient leur soda côte à côte, Grady sentit le regard de Brett peser sur lui.

— Qu'est-ce qu'elle a, maman, à ton avis ?

Si seulement il le savait…

— Je suis sûr que ce n'est pas bien grave, dit-il pour rassurer son fils. Elle a bien meilleure mine, depuis qu'on l'a emmenée ici.

— Oui, je trouve aussi, dit Brett avec un sourire. C'est peut-être le gaz du volcan qui l'a rendue malade.

Grady n'y croyait pas. Et pourtant, l'idée que Susan pût souffrir d'une maladie grave, dangereuse peut-être, lui était insoutenable.

Il jeta sa cannette vide dans la corbeille, et se leva d'un bond, incapable de tenir en place.

— Viens, on retourne la voir.

Quand ils entrèrent dans le petit réduit, Grady avait si mal au ventre qu'il se demanda s'il ne souffrait pas d'un ulcère. Il s'avança vers la table d'examen, et se pencha pour embrasser sa femme sur le front. A son grand soulagement, il constata que sa peau n'était plus froide ni moite.

— Comment te sens-tu ?

— Beaucoup mieux.

— Ç'a l'air d'aller, m'man !

— Je suis désolée de vous avoir flanqué une telle frousse. En tout cas, vous allez pouvoir faire cette randonnée que vous aviez prévue : je vous attendrai à l'hôtel.

Grady secoua la tête.

— Non. On a décidé de tout faire ensemble.

— Ouais, m'man. C'est pas drôle sans toi.

— C'est vrai, ça ? demanda-t-elle en souriant.

— Madame Corbett ?

Une fois de plus, le médecin venait les interrompre. Il tenait à la main un gobelet de carton d'où sortait une paille.

— Maintenant que j'ai les résultats, vous avez droit à un jus de fruits.

Elle le lui prit des mains, et but avec avidité.

— Ma mère va bien ? demanda Brett.

— Parfaitement bien, mon grand. Ecoute, je voudrais d'abord dire un mot à tes parents. Tu veux bien attendre dehors ? Ils viendront te chercher dans quelques minutes.

— Bon. D'accord.

Brett sortit en leur adressant un sourire hésitant.

— Alors ? demanda Grady avec impatience.

— Tout d'abord, j'espère sincèrement que vous déciderez de ne pas divorcer.

Grady se figea. Elle avait parlé de ça à un inconnu ? Il eut l'impression que le ciel lui tombait sur la tête.

Le médecin poursuivit :

— Non seulement pour votre fils, mais aussi pour le bébé qui va naître au mois de février.

Le gobelet de carton tomba par terre.

— Qu'est-ce que vous dites ? s'exclama Susan.

— Vous êtes enceinte. Félicitations !

— On va avoir un autre enfant ? s'écria Grady, incrédule, enchanté.

— Oui, c'est ça, répondit le médecin. Dès que vous serez de retour chez vous, contactez votre gynécologue pour un examen complet. Dorénavant, vous ne devrez plus prendre de médicaments. Par contre, un apport de vitamines vous ferait du bien… Enfin, je vais vous laisser gérer tout ça. Vous pouvez quitter l'hôpital quand vous voudrez.

Grady se retourna vers sa femme… et vit son visage. Elle semblait tellement assommée par la nouvelle qu'il se demanda ce qu'il devait en penser.

Prenant une longue respiration tremblante, il lança :

— Tu peux oublier toutes ces histoires de divorce. Je n'étais pas d'accord, de toute façon. Et, en ce qui concerne ton état, ne compte pas sur moi pour m'excuser de n'avoir pris aucune précaution. Personnellement, je suis très heureux à l'idée d'avoir un deuxième enfant avec toi.

Et il sortit de la petite pièce, prêt à exploser. Il lui fallait un peu de solitude avant d'apprendre la nouvelle à Brett.

— *Grady ? Mes règles sont arrivées.*

— *Ne t'en fais pas, mon amour. Il y a encore le mois prochain, et le suivant…*

— *Pas pour longtemps. Je viens d'avoir trente-six ans : je n'ai plus beaucoup de temps.*

— *Ne sois pas ridicule. Il te reste des années !*

— *Des années… Le temps passe ; j'aurai bientôt quarante ans, et il sera trop tard… J'étais tellement sûre, cette fois ! Je commence à me dire que ça n'arrivera plus.*

— *Ce n'est pas tellement important, au fond.*

— *Tu dis ça pour me consoler, mais je sais bien ce que tu penses vraiment.*

— *Non, tu ne le sais pas. Je suis parfaitement heureux avec vous deux.*

— Tu aurais dû épouser une femme capable de remplir ta maison d'enfants.

— Je n'ai jamais voulu aucune autre femme. C'est toi que j'ai épousée.

— On était jeunes : on ne savait pas ce que l'avenir nous réservait. J'ai été égoïste ; j'aurais dû t'écouter quand tu as parlé d'adopter. Je regrette. Je voulais te donner un autre bébé bien à nous.

— Tu m'as donné Brett. Aucun homme ne pourrait rêver mieux.

— Ce n'est pas ce que m'a dit Jenny.

— Quoi ? Qu'est-ce que tu racontes ?

— Elle m'a répété ce que tu avais confié à Matt : que tu étais tellement triste de ne pas avoir une grande famille !

— Je n'ai jamais dit ça à Matt ni à personne d'autre !

— Mais elle m'a dit…

— Elle t'a menti !

— Non. Je ne crois pas qu'elle m'ait menti. Tu cherches toujours à me protéger, Grady. Je sais bien que je t'ai déçu…

— Bon, arrête, maintenant, Susan ! Je suis heureux avec toi. Je t'aime. Je t'ai toujours aimée, depuis le premier jour… Comment peux-tu douter de nous ?

— Je ne doute pas, Grady. Je t'aime à la folie.

— M'man ?

La voix de Brett balaya le kaléidoscope de souvenirs qui s'engouffraient en elle, si vite qu'elle ne pouvait les examiner tous. Un véritable raz de marée de souvenirs. Elle leva vers son fils ses yeux humides de larmes.

— Maman, je t'ai entendue parler à papa mais il n'est même pas là ! Pourquoi est-ce que tu pleures ? Qu'est-ce qui se passe ?

Il était tout pâle, au bord de la panique.

Susan descendit de la table d'examen, et le serra dans ses bras.

— Je me souviens de ton père !

Ivre de joie, elle se mit à sangloter.

— Je me souviens de tout !

Un instant, il resta parfaitement immobile, puis elle le sentit prendre une immense respiration.

— Alors, c'est pour *ça* que tu as été malade ? Oh, m'man !

Elle s'écarta, juste assez pour pouvoir le regarder. Son visage était si radieux qu'il l'éblouit.

— Non, mon cœur, ce n'est pas pour ça. Le médecin vient de me dire que je suis enceinte. On a souvent des nausées, les premiers mois. J'ai tellement désiré ce deuxième enfant que la nouvelle a dû balayer tous mes blocages.

Brett ouvrait de grands yeux ébahis.

— Tu vas vraiment avoir un bébé ?

— Oui ! cria-t-elle, sans se préoccuper de savoir si on l'entendait. En février. Dans quelques mois, on saura si c'est un garçon ou une fille.

— Ça, alors ! Papa est au courant ?

— Oui, mais il a cru que ça me rendait malheureuse. Tu comprends, je ne pouvais pas réagir : tout le passé me revenait d'un seul coup, comme dans une avalanche. Il est parti avant que j'aie pu lui dire que j'avais recouvré la mémoire.

— Je vais lui dire, moi !

— Non, attends ! Je m'habille, et on va le chercher tous les deux.

En un temps record, elle enfila ses vêtements, et ils galopèrent vers les portes automatiques donnant sur la rue.

— Où est la voiture ?

— Papa l'a garée en bas de la rue.

— Tel que je le connais, il a dû aller faire un tour à pied pour décompresser. J'ai le double de la clé : on va prendre la voiture et quadriller le quartier jusqu'à ce qu'on le retrouve. Quand tu le verras, baisse-toi pour qu'il ne sache pas que tu es avec moi.

— Mais pourquoi ?

— Fais-le, mon cœur ; je t'expliquerai après.

— Bon...

Son idée remontait aux premiers jours de leur rencontre. Grady était venu en Californie voir un copain pendant les vacances, et il était resté pour elle, bien plus longtemps que prévu. Il n'avait pas de voiture sur place, et c'était elle qui le véhiculait dans la décapotable de sa mère. Il adorait ça, surtout lorsqu'elle faisait son numéro devant ses copains : c'était une comédienne hors pair quand elle le voulait.

Grady jeta un coup d'œil à sa montre. Il s'était déjà absenté trop longtemps, mais comment retourner là-bas ? Il ne se reconnaissait plus ; il se comportait comme un monstre. Après une nouvelle pareille, il ne trouvait rien de mieux à faire que crier après sa femme et sortir de l'hôpital comme un fou ! C'était impardonnable.

Et Brett, qui attendait peut-être encore dans l'angoisse...

Il se retourna d'un bloc, accéléra le pas. Il se trouvait quelque part derrière l'immense hôpital, très loin de l'entrée des urgences. Derrière lui, il entendit crisser des pneus — un crétin venait de faire demi-tour au beau milieu de cette rue passante.

Quelques secondes plus tard, il sentit la voiture passer à sa hauteur et se mettre à le suivre au ralenti. Allons bon, il ne manquait plus que ça : se faire coincer par des voyous qui cherchaient la bagarre !

Sans tourner la tête, il accéléra encore le pas, mais la voiture ne le lâcha pas pour autant.

Obligés de ralentir, les automobilistes qui suivaient derrière commençaient à s'énerver. Les bruits de Klaxon retentissaient sur le trottoir ; les piétons se retournaient, cherchaient à comprendre la raison de ce remue-ménage.

Il entendit un sifflement perçant.

— Regarde qui est là ! Grady Corbett ! Grady, tu es à croquer, aujourd'hui ! Allez monte, je t'emmène, qu'est-ce que tu en dis ?

Grady courut encore pendant quelques mètres... puis la voix, les paroles firent leur chemin en lui, réveillant des échos du passé. Il s'arrêta net.

Habilement, la voiture se glissa dans une place libre, libérant le flot de la circulation. Une blonde ravissante se pencha pour lui ouvrir la portière en lui lançant un sourire provocant.

— Tu sais bien que tu as envie de venir avec moi ! lança-t-elle sans prêter la moindre attention aux passants étonnés qui suivaient la scène. Alors ? Ne me dis pas que tu te dégonfles !

Son cœur battait à l'étouffer.

— Tu prends des risques, chérie, souffla-t-il.

— Des promesses, toujours des promesses ! Viens donc me montrer ce que tu sais faire.

— Oh, je vais te montrer...

Au premier pas qu'il fit vers elle, elle jaillit de la voiture, puis s'enfuit en riant, de ce rire un peu haletant qui le rendait fou, les premiers jours de leur rencontre...

Elle avait toujours eu la faculté de courir très vite, mais il la rattrapa quand même, la fit pivoter vers lui, savoura son petit cri de terreur ravie... et s'arrêta net, pétrifié. Car, dans ses yeux bleus, il venait de retrouver ce qui leur manquait depuis son retour. L'étincelle de connivence, la conscience de tous les moments partagés, l'amour. Elle le reconnaissait.

Ces moments d'absence poignants étaient terminés. C'était sa femme qu'il tenait dans ses bras : celle qu'il attendait !

Tout en murmurant un mot qu'il ne comprit pas, elle noua ses bras autour de son cou, et chercha sa bouche dans un élan voluptueux.

Sans entendre les commentaires qui jaillissaient autour d'eux, il serra sa femme contre lui.

Ils restèrent ainsi un long moment, accrochés l'un à l'autre. Sa femme adorée lui était rendue ; le reste n'avait aucune importance.

Brett ne cessait de se retourner pour voir s'ils revenaient enfin vers la voiture. C'était la honte de voir ses parents se comporter comme les couples de terminale qui passaient des heures à s'embrasser, au vestiaire. Heureusement qu'ils étaient à Hawaii, où personne ne les connaissait !

Au fond de lui, pourtant, il sentait un nouveau bien-être. Sa mère était de retour. Pour de vrai, cette fois. Donc, son père allait être de nouveau heureux. Il y aurait bientôt un nouveau bébé dans la famille…

Tout aurait été parfait si seulement il avait pu tout raconter à Mike. Mais ça, c'était impossible et, malgré sa joie, ça lui faisait comme un poids sur le cœur.

En revanche, il pouvait appeler son oncle ! En comptant deux heures de décalage avec la Californie, Todd serait probablement chez lui.

Un dernier coup d'œil par-dessus son épaule… ses parents ne semblaient pas disposés à le rejoindre dans l'immédiat. Le portable de son père était posé sur la banquette. Il le saisit, composa le numéro…

— Allô ?

— Tonton ?

— Brett, je ne m'attendais pas à avoir de tes nouvelles !
Où es-tu ?

— A Hilo. J'ai pensé que tu serais content de savoir la
nouvelle : maman va avoir un autre bébé.

— Quoi ? hurla Todd. Attends une seconde !

Sa voix se fit lointaine. Brett l'entendit crier à sa tante Beverly
de décrocher l'autre poste, puis il revint.

— Bon, elle t'entend aussi. Répète un peu ce que tu viens
de dire !

— Maman va avoir un bébé en février. Elle vient juste de l'apprendre. Et vous savez quoi ? Elle a recouvré la mémoire !

A l'autre bout du fil, il y eut d'abord un silence absolu, puis
Brett entendit quelques reniflements. Sa tante venait, apparemment, de fondre en larmes. La voix de son oncle revint, très
grave, si émue qu'il en eut presque la chair de poule.

— Je n'ai pas besoin de te demander ce que ressent ton
père...

— Non.

— Je peux leur parler ?

— Pas tout de suite. Ils sont occupés.

Todd le surprit encore en éclatant de rire : un rire heureux,
très juvénile.

— J'ose à peine te demander ce qu'ils font !

— Ils s'embrassent. Ça fait une heure que je les attends dans
la voiture, et je crois que j'en ai encore pour un moment. C'est
pour ça que je t'ai appelé.

— Où sont-ils ?

— Sur le trottoir, devant l'hôpital, à un endroit où tout le
monde peut les voir.

— L'hôpital ! s'exclama sa tante.

Brett se lança dans un récit mouvementé des récents événements.

— Papa était dans tous ses états ! conclut-il.

266

— Je m'en doute. Je suis même surpris qu'il ne se soit pas évanoui en apprenant qu'il allait de nouveau être père, déclara Todd. Les mauvaises nuits, les couches… J'espère que vous êtes prêts à affronter tout ça !

— Je crois que ce sera marrant.

— Qu'est-ce que tu aimerais : un petit frère ou une petite sœur ?

— Oh, ça m'est égal. Maman m'a parlé du premier bébé qu'elle a perdu. J'espère seulement qu'elle ne perdra pas celui-là.

— Pas question ! décréta Todd. Ce bébé est commandé depuis un paquet d'années : il ne lui arrivera rien.

— Tu as raison. Après tout, maman est bien ressuscitée.

— Exactement. Tout ça est écrit.

— Attention, ils reviennent par ici. Je raccroche. Surtout, racontez tout à mamie.

— Ne t'en fais pas, on s'en occupe. Quand tes parents redescendront sur terre, demande-leur de nous appeler.

— D'ac'. A bientôt.

Il coupa la communication, posa le téléphone là où il l'avait trouvé, et se cala sur son siège.

Quand Grady ouvrit la portière à sa femme, Brett entrevit leurs visages, et le bonheur qu'il y lut lui donna l'impression de flotter sur un nuage.

— Tu devais commencer à te dire qu'on ne reviendrait jamais ! lança joyeusement son père en s'installant derrière le volant.

Susan tourna vers lui un visage radieux.

— C'est vrai : on t'a laissé très longtemps.

— C'est pas grave, mais je commence à avoir faim. On peut aller manger quelque chose ?

— Ta mère vient de poser la même question. On va se trouver un hôtel pour la nuit, et commander un repas dans la chambre. Après la journée que Susan vient de vivre, elle a besoin de se coucher tôt.

Brett comprit que ses parents avaient hâte de se retrouver seuls. Ce serait sans doute comme ça jusqu'à la fin de leurs vacances. Dès qu'il serait seul dans sa chambre, il rappellerait son oncle et sa tante pour leur demander de venir à Hawaii avec ses cousines. Comme ça, au moins, il aurait quelqu'un avec qui s'amuser.

Une brise nocturne, douce et tiède, entrait par le balcon de leur chambre d'hôtel. L'air parfumé des îles s'était révélé un puissant aphrodisiaque, et Grady flottait dans une euphorie telle qu'il n'en avait jamais connue.

Susan reposait entre ses bras, le visage enfoui dans son cou. Le soleil se lèverait bientôt, et elle venait juste de s'endormir. Leur désir avait été insatiable... La sachant enceinte, il aurait dû être plus prudent, mais cette nuit avait été comme leur première lune de miel : une passion étourdissante, toujours renouvelée.

Après cette terrible séparation, puis ces semaines où, même ensemble, ils se sentaient coupés l'un de l'autre, leur mariage leur semblait infiniment précieux.

— Est-ce que tu as la moindre idée à quel point je t'aime ? chuchota-t-elle en posant un baiser près de son oreille.

Il la croyait endormie. Heureux qu'elle fût toujours avec lui, il la serra doucement contre lui en lui embrassant les cheveux.

— Je crois que je commence à reprendre confiance, dit-il en riant.

— Oh, Grady, si Brett n'avait pas pris l'escalier, ce soir-là...

—... il aurait sans doute fallu plus de temps pour que la mémoire te revienne. Quand je pense que c'est Stevens qui nous a aidés à nous retrouver, en invitant Brett à dîner à L'Etoile, ce soir-là…

Elle souleva la tête pour le regarder.

— Je me souviens de tout, maintenant. J'ai tant de choses à te dire…

Il embrassa cette bouche délicieuse qu'il aimait tant.

— Nous avons toute la vie devant nous.

— Je sais bien, mais je voudrais mettre ça au clair tout de suite.

— Ça m'a l'air sérieux, dis-moi ?

— Bien sûr ! Tu as eu tant de peine alors qu'il n'y avait aucune raison.

Cessant de plaisanter, il se souleva sur un coude et la contempla gravement.

— Nous avons déjà parlé de Jennifer. Je ne crois pas qu'elle revienne t'ennuyer, désormais.

— Ce n'est pas à elle que je pense. Je veux parler de la raison pour laquelle je n'ai jamais discuté des comptes de Drummond avec toi.

— Je crois que je peux le deviner. Tu soupçonnais Ella.

— C'est ça ! Je savais qu'elle tenait la comptabilité de Jim. Tu comprends, quand on m'a confié ce dossier, on m'a aussi donné le carnet de M. Beck. Dans ses notes, il soulevait des questions inquiétantes. Plus je trouvais d'écarts dans les chiffres, plus j'étais sûre qu'il avait découvert de sérieux problèmes avant de mourir. Alors, je me suis mise à creuser à mon tour, et il m'a semblé que Jim et Ella fraudaient depuis des années. Je n'arrivais pas à y croire. La veille de mon rendez-vous avec M. LeBaron à l'usine, j'ai pris une chambre à L'Etoile pour faire un peu d'espionnage.

— Tu as *quoi* ?

— Oui, je suis allée sur place avec mon appareil photo et quelques outils. D'abord, j'ai soulevé un segment du faux plafond de la salle de bains pour voir quel type de ventilateur on avait posé. Et, effectivement, c'était le modèle le plus courant, alors que l'architecte avait bien spécifié du haut de gamme. J'ai pris des photos.

Grady secouait la tête, incapable d'en croire ses oreilles.

— Mais où est la pellicule ?

— Eh bien... Je suppose qu'elle est toujours dans mon appareil, sur l'étagère de la chambre.

— Tu veux dire que, pendant tout ce temps, il y avait des indices chez nous et que je l'ignorais ?

— Je suis désolée, mon amour. Je voulais attendre d'avoir des certitudes avant de t'en parler. Je ne pouvais pas accuser nos amis sans preuves... et je voulais t'impressionner, aussi, en menant ma propre enquête. Ensuite, j'ai fissuré la baignoire avec un marteau.

— Pour l'amour du ciel !

— Et, bien entendu, j'ai trouvé de l'acier, alors qu'on avait payé pour de la fonte. J'ai encore pris des photos, puis je suis retournée dans la chambre pour retirer un petit morceau de plinthe, derrière un meuble. Je suis allée le montrer dans un magasin de bricolage, et on m'a dit que c'était du peuplier avec un vernis érable. De retour à l'hôtel, j'ai pris quelques photos avant de remettre la plinthe en place. Plus tard, j'ai abîmé la baignoire en laissant tomber mon sèche-cheveux métallique. Je leur ai proposé de payer les dégâts mais ils ont été très gentils : ils m'ont expliqué que l'hôtel était assuré pour ce type d'accidents. Alors, j'ai payé ma chambre en liquide et je suis partie.

Grady ne savait plus s'il devait rire ou pleurer.

— Si Brett pouvait t'entendre, chérie, il dirait que tu es flippante quand tu te mets à jouer les détectives, dit-il en la berçant dans ses bras.

270

En même temps, il se sentait prêt à éclater de fierté. Quand ses collègues sauraient ça…

— J'étais à la fois atterrée par les agissements des Stevens et tout excitée de mes trouvailles. Tu es rentré tard, ce soir-là. J'ai décidé que j'irais le lendemain à mon rendez-vous avec M. LeBaron et que je te raconterais tout en rentrant, pour que tu puisses prendre les choses en main.

Convulsivement, il enfouit son visage dans ses cheveux.

— Si tu voulais m'impressionner, tu as réussi. Ne doute plus jamais de mon admiration. Et la suite… tu es prête à parler de ce qui s'est passé à l'usine ?

— Il n'y a pas grand-chose à dire.

Prudemment, il s'écarta un peu pour voir son expression. Elle était calme.

— Quand je suis arrivée là-bas, j'ai vu une voiture, et j'ai supposé que c'était celle de M. LeBaron. Pendant que je descendais de la mienne, quelqu'un a dû arriver sans bruit derrière moi. Je me souviens seulement d'une main qui me plaquait un tampon sur le nez et la bouche. L'odeur était suffocante. Ensuite, je me suis réveillée à la clinique de la réserve.

Il sentit les larmes lui piquer les yeux.

— Au moins, tu n'as pas eu peur ; tu n'as rien su de ce qui s'est passé après.

Susan prit le visage de son mari entre ses mains, et lui embrassa les paupières, l'une après l'autre.

— Oui, c'est une chance. Et écoute : je ne veux plus y penser jusqu'au procès de Jim.

— Moi non plus. Alors, dis-moi : quand veux-tu reprendre ta place au Lytie Group ? Après la façon brillante dont tu as géré ce dossier, ils vont probablement te proposer un fauteuil de vice-présidente.

— Je n'en veux pas.

— Pourquoi ?

Dans un geste passionné, elle pressa sa paume sur sa bouche.

— Parce que je préfère rester à la maison et prendre soin de ma famille.

— Tu n'es pas obligée de me dire ça pour me rendre heureux.

— Je le sais. Ecoute, si j'ai voulu travailler, c'est uniquement pour redresser notre situation financière. Puisque ce n'est plus nécessaire, je préfère rester chez nous et me dorloter pendant toute ma grossesse. Je ne suis plus toute jeune, après tout ! Quand notre deuxième enfant ira à l'école, je ferai sans doute du volontariat au Foyer des Femmes. Ça, ça me plairait. D'ici là, je veux seulement savourer la joie de porter notre bébé. Nous avons des questions très importantes à régler, toi et moi, par exemple, la transformation de la chambre d'amis en chambre de bébé, et le choix du nom de notre enfant. Si c'est une fille, je pensais à Kristy Ann, comme ta mère et ma grand-mère. Si c'est un garçon, que dirais-tu de Richard Payne Corbett, comme ton père et ton grand-père ? On pourrait l'appeler R.P. : Brett adorerait ça.

Emu, il murmura :

— Ce n'est pas moi qui vais te contredire.

— Bien ! Puisque tout est réglé, si on faisait l'amour ?

Instantanément, il sentit son corps s'éveiller.

— Encore ? murmura-t-il.

Avec un petit rire étouffé, elle passa la main sur sa poitrine.

— Pauvre Grady, tu dois vraiment être fatigué ! Je me souviens d'un temps où tu te serais mis à l'œuvre sans poser de questions. Je crois que tu commences à vieillir...

Sa Susan était de retour. Souriant dans la pénombre, il la prit dans ses bras...

Plus tard, bien plus tard, alors que le soleil inondait la chambre, sa dernière pensée consciente fut que la vie d'un homme ne pouvait réserver de plus grand bonheur. Un fils paisiblement endormi dans la chambre voisine, un bébé en route, et l'amour de sa vie blotti sur son cœur.

Avant-première

RED DRESS INK

La collection des citadines branchées

Tournez vite la page
et découvrez en exclusivité
un extrait du roman *City Girl*
de Sarah Mlynowski

City Girl, une comédie détonante
à lire de toute urgence !

A paraître dès le 1ᵉʳ juin

Ce titre n'est pas disponible au Canada

1.

Le salaud !

Le salaud ! Comment a-t-il osé me faire ça ?

Atterrée, je relis le mail de Jeremy. Non, le doute n'est plus permis. Tout est terminé. Hagarde, je compose le numéro de Wendy...

D'habitude, c'est Natalie qui assure la hot-line téléphonique en cas de catastrophe mineure : augmentation refusée par rédac' chef mal lunée, couleur de cheveux massacrée, numéro de téléphone du livreur de sushis égaré. Mais là, il s'agit d'un drame de force majeure. Un séisme de niveau dix sur une échelle qui n'en compte que neuf.

L'abomination de la désolation.

L'étendue de la tragédie me commande d'appeler immédiatement Wendy, ma directrice de conscience et ma meilleure amie — sorte d'hybride naturel de Gemini Cricket et de mère Teresa.

J'aggrave mon cas auprès de mon employeur par un appel personnel longue distance à New York ? M'en fiche. De toute façon, ma vie est foutue.

D'un agile coup de souris, fruit d'une longue pratique, je réduis la fenêtre de ma messagerie au format confetti, au cas où la rédac' chef passerait son museau par ma porte. Si elle déboule sans prévenir, Shauna-la-Fouine ne verra sur l'écran de mon ordinateur que la page en cours de correction de

Millionnaire, cow-boy et futur papa, ce chef-d'œuvre de la littérature moderne que je suis censée relire, et non l'acte de pur sadisme que Jeremy vient de m'envoyer de Thaïlande sous forme de mail.

Envoyer ? Non, assener. Direct dans les dents.

— Wendy Smith, annonce celle-ci de sa voix de business woman over-charrette.

— C'est moi.

— Betty ? Tiens, c'est drôle, je pensais justement à toi. Je dois avoir des pouvoirs psychiques ! plaisante Madame Irma, inconsciente du drame qui vient de me fracasser en plein vol, me laissant plus bas que terre, l'âme brisée et le cœur en mille morceaux (c'est une estimation, on n'a pas encore retrouvé la boîte noire).

Pas de temps pour les mondanités, je vais droit au but. J'aboie, au bord des larmes :

— Ton pendule intérieur ne t'a pas prévenue que ce salaud allait rencontrer la femme de sa vie en Thaïlande ?

Et comme si ça ne lui suffisait pas, qu'il m'enverrait un mail pour me décrire ses turpitudes par le menu ? Le salaud ! Je ne lui adresserai plus jamais la parole. S'il m'envoie un nouveau mail, j'appuierai sur la touche «efface» sans même l'ouvrir. S'il téléphone, je lui raccrocherai au nez. S'il se rend compte qu'il ne peut pas vivre sans moi, saute dans le premier vol pour Boston et se rue chez moi avec un diamant gros comme cinq fois son salaire — je veux dire, en supposant qu'il soit capable de gagner un salaire — je lui claquerai la porte au visage.

Bon, peut-être pas tout de suite. Je lui laisserai d'abord une chance de s'expliquer.

C'est que j'aimerais bien ne pas finir vieille fille, tout de même.

— Le salaud ! s'écrie Wendy. Comment a-t-il osé te faire ça ?

Ce qu'il y a de bien avec Wendy, c'est qu'on est souvent sur la même longueur d'ondes.

— Et d'abord, qui est cette fille ?

— Sais pas. Une bimbo quelconque qu'il aura trouvée en cherchant son moi profond. Il me laisse trois semaines sans nouvelles et hop ! un mail pour me dire « salut, comment ça va ? Moi ça baigne, je viens de rencontrer l'Amour. »

— Quelle horreur, il a vraiment dit ça ?

Je réprime un rire hystérique. Comme si Jeremy était capable d'écrire le mot amour, ou même de le prononcer ! Au fil des années, j'ai fini par formuler l'hypothèse qu'il souffre d'un handicap génétique lui interdisant de combiner les lettres A-M-O-U-R dans cet ordre précis.

Oh, je le déteste !

— Ce n'est pas exactement ce qu'il a écrit. Il dit seulement qu'il veut que je sache qu'il voit quelqu'un.

— Attends… Je croyais que tu lui avais précisé que tu le laissais libre de faire des rencontres ?

— Justement, c'était pour lui donner l'occasion de me rester fidèle.

Ce jour-là, j'ai surtout raté une occasion de la fermer.

Depuis que j'ai lu son mail, je visionne en boucle le film de ses orgies sous les cocotiers en compagnie de beautés thaïes nues et frétillantes. Et au lieu de concentrer la fine fleur de mon intelligence sur *Millionnaire*, j'imagine Jeremy, dopé aux aphrodisiaques, faisant sauvagement l'amour à une déesse hollandaise d'un mètre quatre-vingts style Claudia Schiffer en talons aiguille et lingerie sexy sur une plage de sable blanc.

Récapitulons. Au départ, Jeremy était supposé passer un mois en Thaïlande pour faire le point et me revenir transi d'amour, les sentiments galvanisés par la séparation, enfin conscient de la profondeur de sa passion pour moi et fermement décidé à consacrer le reste de ses jours — et de ses nuits — à couvrir mon corps nu de baisers torrides en répétant sur tous les tons le mot A-M-O-U-R.

Pourquoi n'a-t-il rien compris ? Ma demande était pourtant limpide !

— Betty, il faut regarder la vérité en face, annonce Wendy, lugubre. Voilà deux mois qu'il roule sa bosse à travers la Thaïlande. A l'heure qu'il est, il a déjà dû coucher avec la moitié du pays. Si tu me lisais ce mail, que je mesure l'étendue des dégâts ?

Répéter ces horreurs à voix haute dans le bureau ? Plutôt crever de dysenterie sur la paille humide d'un cachot thaïlandais !

— Peux pas. Je te le fais suivre, attends une seconde.

D'un clic rapide, j'expédie l'instrument du mal vers l'adresse e-mail de Wendy. *Millionnaire* revient sur mon écran, ni vu ni connu.

—... là, tu l'as reçu ?

— Oui... un instant, marmonne Wendy, j'ai un autre appel sur la ligne.

Elle me met en attente, et aussitôt, une version instrumentale de *My Way* remastérisée pour ascenseurs m'emplit les oreilles. Un malheur n'arrive jamais seul.

Cette fois-ci je dois pleurer pour de bon car l'écran de mon ordinateur commence à se brouiller, un peu comme quand Jeremy essaie de régler la télévision.

Essayait, puisque je vais devoir m'habituer à parler de lui au passé.

Allons, pensons positif. Pensons joyeux, pensons pétillant ! Pensons pot géant de Häagen Dazs aux noix de pécan devant la vidéo de *Mary Poppins* avec Julie Andrews. Pensons billet de loto gagnant et expédition punitive dans les grands magasins aux rayons des sacs à main, maquillage et lingerie fine, munie d'une carte American Express Gold. Non, achat du grand magasin. Avec les vendeurs masculins, si possible.

Je me sens déjà mieux. L'écran retrouve peu à peu sa netteté. Mais poursuivons notre périple dans les souvenirs heureux… La caresse de Jeremy, quand il dessinait des petits ronds avec son pouce à l'intérieur de mon bras.

Touche « efface ». On recommence.

Le jour où le Pr McKleen m'a donné un dix-huit sur vingt pour ma dissertation sur Edgar Allan Poe. Le jour où on m'a retiré mon appareil dentaire et où je suis restée une heure à me sourire dans le miroir de la salle de bains, ravie de ne plus ressembler à Requin, dans *L'Espion qui m'aimait*. Le jour où ma demi-sœur Iris m'a déclaré qu'elle me considérait comme la fille la plus sexy qu'elle connaisse — Gwyneth Paltrow, en plus jolie.

Allez, tout va bien à présent. Je suis d'une sérénité qui ferait passer le Dalaï Lama pour une puce sauteuse.

C'est précisément l'instant que choisit Helen, ma voisine de box, pour se pencher par-dessus la demi-cloison qui nous sépare.

Helen est une extraterrestre dotée de superpouvoirs terrifiants, en particulier celui de faire irruption au moment le moins indiqué. Pardon, ce n'est pas possible ? Alors comment fait-elle pour passer sa tête de poule étonnée par-dessus la cloison *juste* quand je viens de me brancher sur *Beauxmecs.com* ? ou pour rôder dans le couloir à l'instant *précis* où j'essaie de me faufiler en douce dans mon box les matins de léger retard ?

Helen est un personnage aussi remarquable qu'exaspérant, qui ressemble un peu à la maman d'E.T. et possède la capacité de nuisance d'un bouton qui vous pousse au milieu du nez pile le jour de la fête de fin d'année, ou de vos règles qui arrivent le matin de la virée à la plage avec votre bande de copains, le jour même où vous aviez prévu d'étrenner votre adorable petit Bikini blanc acheté en solde (une misère !) chez Marks and Spencer.

En la voyant s'agiter à ma droite, je comprends qu'il est urgent de protéger mon espace vital. Il y va de ma survie personnelle. Je fixe ma voisine entre les deux yeux — il paraît que c'est là qu'il faut regarder les poules pour les hypnotiser.

— Oui, Helen ?

Elle me demande, très première de la classe :

— Tu ne peux pas faire moins de bruit ? J'ai du mal à me concentrer.

Fayot ! Je me souviens que le jour de mon arrivée chez Cupidon & Co, je me suis solennellement juré de ne jamais me laisser polluer l'oxygène par cette madame J'en-saurai-toujours-plus-que-vous. Ce matin-là, alors que je venais de lui annoncer, façon de lui faire tâter de l'épaisseur de mon bagage intellectuel, que j'avais fréquenté l'université de Penn — presque aussi cotée que Harvard ! — elle m'a regardée d'un air condescendant.

Elle avait connu une camarade qui elle aussi s'était inscrite à Penn car elle ne supportait plus la pression à Harvard. Elle-même, bien sûr, était sortie major de sa promo.

A Harvard.

Ensuite, il y a eu cet épisode tout aussi douloureux pour mon ego où, dans un élan de bonne volonté que je ne me pardonne pas, je me suis penchée par-dessus la séparation de nos box pour la prévenir que je devrais partir en avance pour aller au docteur.

— On dit « chez le médecin », Betty, a-t-elle rectifié sans même lever le nez de son écran.

De ce jour, je me suis retranchée dans une cohabitation polie mais glaciale. J'ai ma dignité.

Pourtant, et pour une raison que je ne m'explique pas, le petit peuple des secrétaires de rédaction semble considérer Helen comme un don de la providence pour Cupidon & Co. « Helen, tu es la diva de la ponctuation ! Pourquoi n'écris-

tu pas un manuel ? » s'extasient-elles. Quand ce n'est pas :
« Raconte-nous comment c'était, Harvard ? » ou pire : « Si tu
nous parlais de ta théorie de la déconstruction subjective dans
l'*Ulysse* de Joyce, Helen ? »

O.K., j'exagère un brin. Mais citez-moi une seule femme
normalement constituée capable de consacrer ses pauses déjeuner à la lecture d'ouvrages aussi folichons que, pour n'en citer
qu'un, *Paradigme pour une métaphysique appliquée à la
narratologie historique* ?

Le plus étonnant, c'est que ma froideur à son endroit ne
paraît pas la décourager. Mon petit doigt me dit qu'elle doit
bouillir d'impatience de m'exposer ses théories percutantes
sur la déconstruction subjective et la critique littéraire post-
moderne.

Pas plus tard qu'hier matin, j'ai encore eu droit à une tentative
d'incursion sur mes territoires. « Est-ce que je t'ai déjà raconté
que, quand j'étais en première année à Harvard, Jim — tu
sais, Jim Galworthy, le prix Nobel de littérature ? — voulait
absolument que je donne des conférences dans tout le pays pour
présenter ma thèse ? Il est vrai qu'elle est si innovante… »

Et patati, et patata. Moi aussi, ma poule, j'ai une maîtrise
de lettres modernes. Bon, une demi-maîtrise, puisque je n'ai
terminé que la première des deux années. Mais comme je dis
toujours, pour ce que je gagne ici, c'est bien suffisant, n'est-ce
pas ?...

Rendez-vous dès le 1er juin au rayon poche de vos hyper-
marchés, supermarchés, magasins populaires, librairies et
maisons de presse et retrouvez le roman **City Girl**, de Sarah
Mlynowski.

Vous pouvez également commander ce roman en contactant
notre Service Lectrices au 01.45.82.47.47.

Voisin, voisine, par Candy Halliday - n°11

Quand on veut, comme Mackenzie, fuir comme
la peste les séducteurs de grand chemin, que peut-
il y avoir de pire que d'habiter *en face* d'Alec
Southerland ? Oui, en face de ce ténébreux pilote,
de ce Don Juan qui ne trouve rien de mieux,
quand il est poursuivi par une de ses admiratrices,
que de se réfugier chez *elle*, sa *chère voisine* !
Supplice… ou tentation ?

Chère lectrice,

Vous nous êtes fidèle depuis longtemps?
Vous venez de faire notre connaissance?

C'est pour votre plaisir que nous avons
imaginé un rendez-vous chaque mois
avec vos auteurs préférés, vos
AUTEURS VEDETTE dans les
collections Azur et Horizon.

Les AUTEURS VEDETTE vous
donneront rendez-vous pour de
nouveaux livres vedette.

Pour les reconnaître, cherchez
l'étoile ... Elle vous guidera!

Éditions Harlequin

HARLEQUIN

LE FORUM DES LECTEURS ET LECTRICES

CHERS(ES) LECTEURS ET LECTRICES,

VOUS NOUS ETES FIDÈLES DEPUIS LONGTEMPS?

VOUS VENEZ DE FAIRE NOTRE CONNAISSANCE?

SI VOUS AVEZ DES COMMENTAIRES, DES CRITIQUES À
FORMULER, DES SUGGESTIONS À OFFRIR, N'HÉSITEZ
PAS... ÉCRIVEZ-NOUS À:
>   LES ENTERPRISES HARLEQUIN LTÉE.
>   498 RUE ODILE
>   FABREVILLE, LAVAL, QUÉBEC.
>   H7R 5X1

C'EST AVEC VOS PRÉCIEUX COMMENTAIRES QUE NOUS
ALLONS POUVOIR MIEUX VOUS SERVIR.

DE PLUS, SI VOUS DÉSIREZ RECEVOIR UNE OU
PLUSIEURS DE VOS SÉRIES HARLEQUIN PRÉFÉRÉE(S)
À VOTRE DOMICILE, NE TARDEZ PAS À CONTACTER LE
SERVICE D'ABONNEMENT; EN APPELANT AU
(514) 875-4444 (RÉGION DE MONTRÉAL) OU 1-800-667-4444
(EXTÉRIEUR DE MONTRÉAL) OU TÉLÉCOPIEUR
(514) 523-4444 OU COURRIER ELECTRONIQUE:
AQCOURRIER@ABONNEMENT.QC.CA OU EN ÉCRIVANT À:
>   ABONNEMENT QUÉBEC
>   525 RUE LOUIS-PASTEUR
>   BOUCHERVILLE, QUÉBEC
>   J4B 8E7

MERCI, À L'AVANCE, DE VOTRE COOPÉRATION.

BONNE LECTURE.

HARLEQUIN.

VOTRE PASSEPORT POUR LE MONDE DE L'AMOUR.

L'ASTROLOGIE EN DIRECT
TOUT AU LONG
DE L'ANNÉE.

(France métropolitaine uniquement)
Par téléphone 08.36.68.41.01
0,34 € la minute (Serveur SCESI).

Composé et édité
PAR LES ÉDITIONS HARLEQUIN
Achevé d'imprimer en avril 2003

BUSSIÈRE
GROUPE CPI

à Saint-Amand-Montrond (Cher)
Dépôt légal : mai 2003
N° d'imprimeur : 31714 — N° d'éditeur : 9859

Imprimé en France